М. Веллер

НАШ КНЯЗЬ И ХАН

Повесть лихих времен,
в которой вдруг возникает
восстание в Москве, изгнание власти,
рывок на запад, опустошение страны, продажа родины
и великая посмертная слава.

Издательство АСТ
МОСКВА

УДК821.161.1-3
ББК84(2Рос=Рус)6-44
В27

Серия «Странник и его страна»

Оформление обложки Александра Кудрявцева

Веллер, Михаил.

В 27 Наш князь и хан: историческая повесть-детектив / Михаил Веллер. — Москва : Издательство АСТ, 2015. — 288 с. — (Странник и его страна).

ISBN 978-5-17-092628-2

Роман из времен Куликовской битвы превращается в цепь нелепостей, а сюжет — в головоломку разведчика, вскрывающего тайны. Русская история была фальсифицирована пиарщиками Средневековья. Сражение с Мамаем и карательный набег Тохтамыша выглядели вовсе не так, как нам внушали веками. И сами мы — не те, кем себя считали...

УДК821.161.1-3
ББК84(2Рос=Рус)6-44

ISBN 978-5-17-092628-2

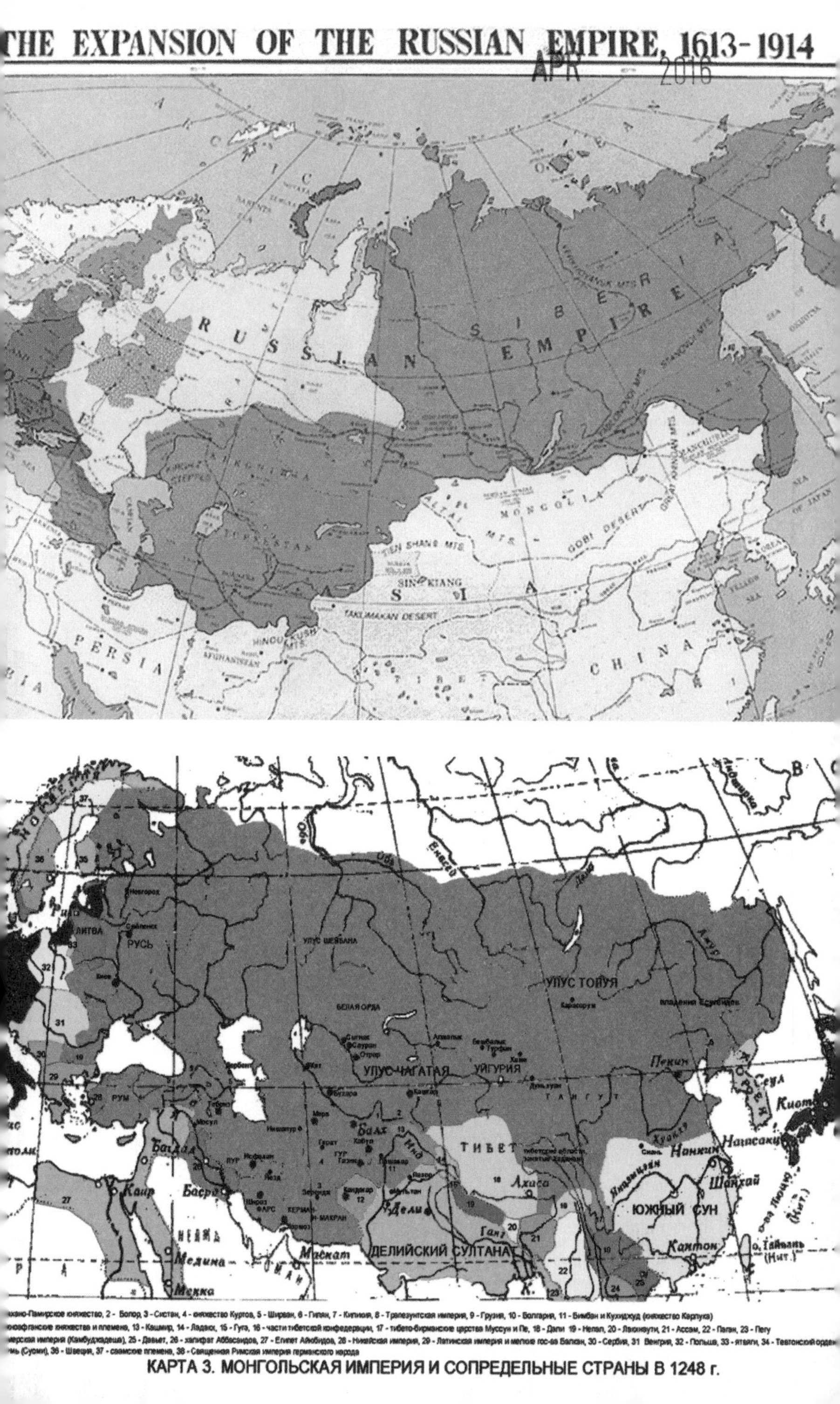

КАРТА 3. МОНГОЛЬСКАЯ ИМПЕРИЯ И СОПРЕДЕЛЬНЫЕ СТРАНЫ В 1248 г.

Посвящение

Всем благородным мечтателям
о светлом будущем нашей единой,
великой и могучей Родины
посвящается.

Эпиграфы

Союз нерушимый республик свободных
Сплотила навеки Великая Русь.
Да здравствует созданный волей народов
Единый, могучий Советский Союз!

С.В. Михалков, Г.Г. Эль-Регистан.
ГИМН СОВЕТСКОГО СОЮЗА

О, Русь моя! Жена моя! До боли
Нам ясен долгий путь!
Наш путь — стрелой татарской древней воли
Пронзил нам грудь.

Наш путь — степной, наш путь —
в тоске безбрежной —
В твоей тоске, о, Русь!
И даже мглы — ночной и зарубежной —
Я не боюсь.

И вечный бой! Покой нам только снится
Сквозь кровь и пыль...
Летит, летит степная кобылица
И мнет ковыль!..

. . . .

И я с вековою тоскою,
Как волк под ущербной луной,
Не знаю, что делать с собою,
Куда мне лететь за тобой!

Александр Блок.
НА ПОЛЕ КУЛИКОВОМ

Школьная страница

Эпиграфы наши из школьного прошлого. И начало истории нашей оттуда. Но течение жизни имеет то свойство, что школьная история — ветвится и перерождается в прошлое странное, бездонное. А оно двоится и отражается в сияющем зеркале будущего — и слепит, как прожектор налетающего из тьмы локомотива.

...Есть у каждого народа славные страницы истории, и память о них поддерживает гордость в потомках.

Куликовская битва — ознаменовала. Победили, превозмогли и начали великое возрождение. Все знают.

И рухнуло проклятое татаро-монгольское иго. Освободилась Русь от гадского чужого владычества, и Москва собрала вокруг себя свободные княжества в единое могучее государство. А смертельный удар нанесла татаро-монголам она — Куликовская битва.

(И мальчиками в школе после уроков истории мы мечтали: вот если бы там у русских был пулемет — вот бы он наделал делов атакующей татарской коннице! Задолго до появления компьютерных игр мы представляли, как валятся скошенные смертоносным оружием ряды — как трава под косой. Что в ленте двести пятьдесят патронов, а в тумене десять тысяч конников, и сороковую ленту ты хрен успеешь заправить в раскаленный плюющийся пулемет — таким глупым педантизмом мы, конечно, не грузились.)

А недавно — раз! — сказали, что татаро-монгольского ига не было. И учебники велели снова переписать. А что же было?! Ну... влияние Орды, монгольского государства то есть. Но — стонали? Ну, постанывали. Но — страдали? Конечно страдали, как же у нас без этого. Но все же без ига. Что называется — опомнились шестьсот лет спустя.

Может, татар решили не обижать? Или монголы нам неудовольствие высказали?

А Пушкин? Пушкин, наше все! Он же писал, сам писал, мы читали: заслонила Русь собою Европу от татаро-монгольских орд, и в этом наше историческое предназначение и великий подвиг. Европа смогла развиваться и строить цивилизацию, а мы вот пострадали, приняли удар на себя, ну и, конечно, отстали немного в развитии, ибо в жертву мировой цивилизации себя принесли. И за это ей следует испытывать к нам благодарность; в долгу, то есть, она у нас. В общем примерно так.

Ах, школьники беспечны, юная жажда жизни упоительно терзает их, хрен ли им ваши учебники. Вон даже Пастернак типа кричал перед миллениумом в форточку: милые, какое у нас сейчас тысячелетье идет? А вы пытаетесь детям в головы всунуть бесчисленные катаклизмы — да чтоб знали, в каком веке, да какой эры, да в каком году что еще стряслось. Можно подумать, что директора школ сами не учились на тройки, ага.

И вот сейчас, специально для лодырей и бездельников, некоторые из которых хоть и стали губернаторами и олигархами, а историю родины все равно знать не удосужились — мы вкратце повторим. В очередной раз. Повторение — мать учения, вашу так!

Зачем вам история, дятлы?

Биография человека — это его характеристика: портрет личности в делах и событиях. Кто он, каков он, чего стоит и заслуживает ли уважения, не говоря о любви.

И одна из важнейших сторон характеристики — это к какому народу и какой стране он принадлежит. Какого рода-племени будешь, добрый молодец? Чем славны твои соплеменники, на что способны, как к ним соседи относятся?

То есть. Я – не только умный, сильный, добрый и храбрый. Или слабоватый, глуповатый и ненадежный. Но я – из моего класса, школы, района, города. Из моей роты, полка, моего рода войск. Из моего института и моей науки. Моего народа и моей страны.

Это все — за мной стоит и меня характеризует. Я часть этого всего. И, малая часть, горжусь тем целым, к которому принадлежу. Пушкин и Гагарин, Бородино и Сталинград — это моя страна и мой народ. И через принадлежность к этому целому, через свою родовую, племенную, национальную причастность к величию и героизму этого целого — я ощущаю смысл своей жизни. Я осознаю себя молекулой общего величия. Не сама собою ценна молекула, ничтожна она сама по себе — но как неотъемлемая часть общего величия несет на себе она отблеск и значение общей славы.

А человеку потребно знать, кто он и каков он. И другим знать потребно, кто он есть, чего может стоить и чего следует ждать от такого парня. Вот каков его народ — из того же теста и он вылеплен.

Называется это: потребность в индивидуальной самоидентификации — и потребность в групповой самоидентификации. (Группа — это любое нами перечисленное: школьный класс, район, школа, город, род войск, институт, страна и т.п.)

Важных для нас следствий здесь два.

Первое: любой человек сколько-то неравнодушен к родной истории. Хочет иметь о ней какое-то представление. (Чем иногда раздражает высокоумных историков, которые полагают, что нечего дилетанту лезть в историю: пускай хавает что они ему написали.)

Второе: любому охота выставить себя перед людьми в лучшем свете. И вообще быть о себе хорошего и высокого мнения. Поэтому история любого народа, написанная им самим, комплиментарна. То есть полна косметической лжи. Неприглядное замалчивается или преуменьшается. Славное преувеличивается или придумывается. Эдакая коллективная автобиография себя, любимых, поданная на конкурс лучших народов мира.

А еще следует из этого, что историй всегда есть две.

Одна — для массового употребления, для народа. Это героическая мифология. Она органически, физиологически и психологически потребна нормальному человеку. Чтоб себя уважать, жить с собой в мире и ставить повыше планку планов и амбиций. Такая история несет функцию психосоциальной гигиены и позитивного идеологического единства.

Другая история — для нонконформистов, пытливого меньшинства охотников за истиной. Она тоже необходима. Чтоб во лжи не погрязли и представления об истине вовсе не утеряли. То есть: чтобы социальная система сохраняла обратную связь. То есть — чтобы получала правдивую, адекватную информацию извне об окружающей среде и своих контактах с окружающей средой. Без такой адекватной информации о контактах системы с окружающей средой — мышь не сможет найти крупу, кошка не сможет поймать мышь, человек шагает мимо ступени и катится с лестницы, а государство воротит одну ошибку на другую и впадает в нищету и развал.

Историю для массового потребления вы обязаны знать со школы.

Мамаево побоище: урок истории

Вначале дела были грустные. Подвигу всегда предшествует трагедия.

В 1223 году русские (заступились за родственников-половцев и) дали сражение монгольским захватчикам на реке Калке. Это была трагическая история (один князь Мстислав погиб, еще два князя Мстислава бежали), войско было разбито (да еще и меньшими монгольскими силами, насобачились воевать, гады), а потом победители пировали на досках, уложив их на пленников (загадку появления досок в степи ученые еще не решили).

А в 1237–1240 гг. монголы взяли русские города, перебили много людей и подчинили Русь своей Орде: началось Иго. Козельск вот прозвали «злым городом» за то, что долго не могли его взять, и в отместку вырезали все население. Монголы жестоко собирали с русских дань, иногда людей уводили в рабство, особенно ремесленников и молодых девушек, а правил ордынский хан. Русские князья ему подчинялись, он мог сместить неугодных и отдать их княжества тем, кому благоволил.

Но русские княжества постепенно поднимались, восстанавливались. И через полтора века оправились и почувствовали свою силу. Но раздробленность, отсутствие национального единства мешали им сбросить татаро-монгольское иго.

И вот в 1380 году золотоордынский хан Мамай решил в очередной раз напасть на Русь, разграбить, увести людей в полон и вообще опустить и перекрыть кислород, чтоб чувствовали, кто главный.

Тогда московский князь Дмитрий стал скликать ополчение со всех русских земель. Испросил благословения святого старца Сергия Радонежского. Тот благословил его и дал двух своих иноков-воинов: Ослябю и Пересвета.

Дмитрий собрал около 150 000 человек — никогда еще Русь не выставляла такого огромного объединенного войска. А у Мамая было почти 300 000!

Русское войско перешло за Дон. В назначенный день выстроилось в боевой порядок. В засаду поставили полк воеводы Боброка. Перед битвой два богатыря — Пересвет и монгол Челубей — съехались перед строем в поединке, и наш победил.

Дмитрий обменялся доспехами с простым ратником и бился лично меж воинов в первых рядах.

Татаро-монголы напирали, но в решающий миг из засады ударил полк Боброка и решил судьбу сражения. Наголову разбитые захватчики бежали, уцелело меньше четверти их войска.

И хотя русские потери тоже были тяжелы, но войска возвращались с победой. Вот тут, на поле Куликовом, и зародилось впервые русское единство, люди из разных княжеств осознали себя единым народом с единой судьбой. Впереди была великая история объединения и подъема.

А могуществу Орды был нанесен смертельный удар. И хотя через два года другой хан, Тохтамыш, совершил набег на Русь и сжег Москву, ему все равно пришлось уйти восвояси, возврат к прежнему стал невозможен. Власть татаро-монголов все слабела, пока еще через век Русь не стала свободной окончательно.

Первое впечатление

А все-таки мы достойнее и круче всех.

Второе впечатление

Генеалогическое древо исторических подвигов до ужаса напоминает развесистую клюкву.

Сомнения и странности

Непонятность первая. Ни до, ни после сказания о Мамаевом побоище нигде и никогда не упоминаются православные монахи-воины. Вот у Римской церкви были военно-монашеские ордена, да, но это совсем другая история. И – более ни одно сражение русских с монголами нигде и никогда не предварялось поединком богатырей. Интересно.

Непонятность вторая. Мамай на момент сражения и близко не был ханом Золотой Орды. Ханом он вообще никогда не был — не чингизид, не легитимен, прав нет. Бывал зятем хана — да, беклярбеком (типа премьер-министра или управляющего провинцией) — да, бывал узурпатором, регентом, авторитетным полевым командиром. Но — в сентябре 1380 Мамай был злейшим врагом Золотой орды, самозванцем и конкурентом, подлежащим истреблению (ага). А законным ханом был Тохтамыш.

Непонятность третья. Дмитрий был, конечно, герой и в простых доспехах храбро рубился с врагами. Ну — а командовал кто? В рукопашном сражении, где участвуют десятки и сотни тысяч человек, управление боем имеет огромное значение: вовремя обеспечить маневр, движение частей, ввод в дело резервов, согласованность действий — без этого нельзя. Огромная масса бойцов должна действовать скоординированно, как сложный механизм, но не как просто вооруженная толпа. Грамотное и точное командование — залог победы. Так кто рулил-то? Опять же — это единственный подобный пример в мировой истории больших битв: главнокомандующий самоустранился. Типа генерал сказал: воюйте сами, а я пока сменю погоны на солдатские и пойду в окопе из автомата постреляю.

Непонятность четвертая. Через два года Тохтамыш сжег Москву. А чего не сразу, пока русские после битвы были усталы, ослаблены, изранены? А зачем вообще жег — какая ему с того вышла выгода? А почему он Москву покарал — а Дмитрия так и оставил великим князем, и еще новый ярлык на великое княжение выдал — это мятежнику-то! Вместо того, чтоб кожу содрать.

Злодей на фоне катастроф

Не было на Мамая Шекспира, так ведь и Гомера не нашлось. Фантастическая была личность, немеренного честолюбия и авантюризма.

Юношей женившись на дочери Бердибека, сына Джанибека, хана Золотой Орды, Мамай начал большую игру. Джанибек умер, и Бердибек подозревался в организации отцеубийства. Так или иначе, на белую кошму воссел новый хан — а его зять шагнул во власть. В двадцать два года Мамай стал вторым человеком в государстве — беклярбеком: должность на тот момент средняя между премьер-министром и первым секретарем администрации. И одновременно — темником, командиром тумена (это и должность, и звание, типа генерала или маршала).

Они в Орде были рисковые ребята, вооружены и очень опасны. И Бердибек с помощью верного (но не кровного!) родственника позаботился, чтобы возможные конкуренты были устранены. Конкуренты — это все прочие батуиды, то есть прямые потомки Бату, Батыя, (сына Джучи и наследника его улуса, выделенного еще Чингиз-ханом). Итого двенадцать близких родственников были убиты; одному из них было восемь месяцев, так его просто ударили головкой об землю.

Хан и его зять наслаждались всеми преимуществами власти два года, пока не грянул очередной переворот и Бердибека отправили в Верхний Мир на разборку к его жертвам.

Началась «Великая замятня», как выразились на Руси. Новый хан, Кульпа, объявил себя тоже сыном Джанибека, то есть братом убитого им Бердибека: а вот просто раньше он скрывался. Через полгода его убил Навруз — тоже, разумеется, открывшийся сын Джанибека и брат двум вышеупомянутым покойникам. В Гулистане власть взял отдельный хан. И так далее.

Просто мор на ханов напал. Профессия повышенного риска. И каждый пытался, пока не поздно, истребить остальных. А также их эмиров — наместников то есть. Ну — чтоб на ключевых постах стояли свои люди.

За двадцать лет Великой замятни в Орде сменилось двадцать пять (!) ханов. Государство разваливалось на части, и каждый авантюрист покруче норовил объявить себя ханом отдельного улуса.

Мамай был честолюбив и обладал сильным характером и выдающимися административными способностями. Прирожденный лидер, внук влиятельного эмира при великом хане Узбеке, он жаждал власти в сильном государстве.

Сразу после убийства своего тестя и покровителя двадцатичетырехлетний Мамай объявил войну самозваному (но признанному) ордынскому хану — и не прекращал воевать всю оставшуюся жизнь до самой смерти, последовавшей двадцать два года спустя.

Через два года войн и интриг Мамай раскопал некоего Абдуллу, а к нему свидетелей, подтвердивших, что этот юный Абдулла — тоже потомок Бату и является законным ханом. И за десять лет Мамай, законный беклярбек при законном хане, перевоевал с девятью ханами Золотой Орды, быстро переселявшимися Наверх разными маршрутами.

Горе в том, что Абдуллу не хотели признавать конкуренты и вообще все «лучшие люди» Орды. Мамай их всех задоставал своей активностью.

Через десять лет, придя в сильное раздражение от бесперспективности Абдуллы, Мамай был просто вынужден убить его из политических соображений. А что с ним еще делать? Списали на происки врагов, разумеется.

Место освободилось, и ханом теперь был провозглашен Мухаммед-Булак. Потомок Бату, само собой. Где взяли где взяли — нашли. Юный владыка пребывал в прекрасном возрасте — восьми лет от роду. И никак не мог мешать Мамаю править от его имени. Покладистый был ребенок и умненький.

Кому заносить?

Этот вопрос, столь актуальный для русского бизнеса и прожорливой власти на рубеже XXI века, во второй половине века XIV стоял куда острее.

Смотрим.

Монгольская Империя занимала три четверти обитаемых территорий всего материка Евразии. Ее северо-западный «филиал» — Улус Джучи, он же Золотая Орда — покрывал почти весь левый-верхний квадрат, если разделить карту крест-накрест. Это Восточная Русь, Северное Причерноморье, Северный Кавказ, Поволжье и Урал вверх до среднего течения, Западная Сибирь почти до Енисея, северные две трети нынешнего Казахстана и северная половина Туркмении. Огромная страна.

Про монголов необходимо понимать, что они занимаемые страны не оккупировали. Они их аннексировали. Они взаимно ассимилировали с местным населением — в плане культурном, языковом, экономическом. Все местные религии были неприкасаемы. Местные обычаи сохранялись. Но: признай «федеральную» власть, подчиняйся «федеральным» (крайне малочисленным) законам, и – плати налоги. Если прикажут — поставляй требуемое число воинов (в крайне редких случаях). Вся региональная власть своя собственная, но — утверждается в метрополии. Князь? — приезжай и получи лицензию на должность. Ярлык.

Столица — в интересующее нас время — Новый Сарай, Сарай-Берке. Процветающий торговый город располагался на берегу Ахтубы, ближе к нижнему течению Волги.

Так вот — этой самой Золотой Орды к 1380 году скорее не существовало: развалилась на куски. Ак-Орда — Белая Орда — это, грубо говоря, ее западная половина, куда входила и Русь. А Кок-Орда — Синяя Орда — это восточная половина (правая на карте), от Иртыша до Сыр-Дарьи. С собственным ханом. И в описываемый момент восточная часть подчинялась западной.

Вы этим особо не заморачивайтесь, потому что ученые историки спорят и точно ничего не знают. Но суть в следующем:

Мамай подмял под себя едва не всю Белую Орду. Но бывал бит и из Сарая изгонялся исправно. Стал все больше на Крым базироваться.

А русские князья уж полтора века собирали в своих уделах налоги и сдавали их хану в Сарай. Лично — или через уполномоченных лиц.

А когда единого общепризнанного хана нет — кому платить? Каждый требует себе. Замучишься платить всем — тебя же потом виноватым выставят. Это очень опасный момент, принципиальный, жизненно важный. И лучше всего — что? Лучше всего не платить никому, а погодить, как оно все обернется. Включать дурака, плакаться на нищету и изворачиваться.

С другой стороны, война стоит денег, и каждый хан (а хоть губернатор или начальник таможни) сурово требует, чтоб платили именно ему.

То есть. Князь должен взвесить, чья крыша надежнее. В чьи силовые услуги надо инвестировать. Если вообще надо.

Этот экономический вопрос — вопрос выживания княжества. Чтоб тебя не разорили поборами — с одной стороны, и не пожгли дотла — с другой стороны. И чтоб обнищавшие людишки, с голодухи забыв страх, не подняли тебя на вилы. И чтоб собственная дружина, освирепев от неуплаты, тебя же в тереме не прирезала. Быть князем трудно. Нужна умная голова, стальные нервы и безмерная наглость.

А правда — она в силе. А сила — она у Мамая. А сядет крепкий хан в Сарае — не откупишься: не просто второй раз платить придется, но и грех отмаливать, что врагу его уплатил, чем оскорбление нанес.

На этом фоне нынешние политические трудности и экономические просчеты — просто смешны.

Мамай-Москва — мир-дружба

Ханы в Сарай-Берке менялись, как марионетки над ширмой. А в ставке Мамая, что в низовьях Днепра, год за годом все было стабильно. Лучший и преданный тумен стоял гарантом стабильности: несокрушимая охрана. Торговля, деньги, постройки, войска, дипломатические отношения с Генуей и Литвой.

Мамай контролировал больше половины Золотой Орды, и стало его государство именоваться по-простому типа Мамаева Орда.

Он был серьезен, он давал крышу и он входил в трудности русских князей. Строил с Русью позитивные отношения: богатая же провинция, нужная.

В 1359 году митрополит московский и всея Руси Алексий отправился на переговоры в Литву. Но по причине литовско-московской войны и церковных распрей был приказом великого князя Ольгерда схвачен и заточен. Мамай имел средства убедить Литву важного пленника отпустить. (О митрополите Алексии и его огромной роли в истории Руси мы еще скажем отдельно.)

А три года спустя, когда митрополит Алексий был фактическим правителем Руси при Дмитрии, еще малолетнем, Мамай подписал с ним соглашение об уменьшении дани. Что правильнее называть снижением налогов.

И в том же году Мамай выдает ярлык на великое княжение Владимирское московскому князю Дмитрию. То есть: великое княжество Владимирское (с реальной столицей в Москве), основное и сильнейшее на Руси, как бы главное, официально признает ордынским ханом Абдуллаха. А темник Мамай при нем беклярбек. Еще одно то есть: по соглашению от 1363 года Московская Русь официально и добровольно заявляет, что является частью Мамаевой орды. А мелькающих в Сарай-Берке ханов в гробу видала. А что по Ясе Чингиз-хана, главному Закону Империи, те ханы законные, а Абдуллах — непризнанный и вообще не хан, — это нас никак не касается.

Но умный Алексий пробует на прочность мамаеву власть, как умный пескарь подергивает леску: можно ли сорваться? Войны-то в Орде (Ордах?) не прекращаются, хлопот у Мамая полон рот, власть пошатывается. И налоги идут Мамаю с задержками и недоимками. А в объяснениях проскальзывает наглость.

В 1370г. хан Абдуллах оканчивает свои земные труды. И Москва мгновенно заявляет: денег нет, платить не буду. Нет хана — нет проблемы. А кто там следующий — это еще надо разобраться, посоветоваться. Вон из Золотой Орды тоже сигналы поступают от ихнего хана. Так что мы посовещаемся, выслушаем все стороны, а тогда решим.

Выйдя из терпения, в 1370г. Мамай аннулирует ярлык Дмитрия и передает великое княжение Михаилу Тверскому. А Тверь Москву вообще ненавидит, и есть за что (тоже разговор отдельный).

А Мамай предъявляет мировой общественности нового хана — восьмилетнего Мухаммед-Булака: что значит нет легитимного правителя?! А это вам кто?! Да с вас по жизни бабло причитается, и чтоб на брюхе приползли!

Москвичи спешно собирают всякие хорошие вещи и шлют к Мамаю гонцов с разъяснениями, что их неправильно поняли. И в 1371г. Дмитрий едет к Мамаю лично, с поклонами подносит дорогие подарки и страшно кается в допущенном недоразумении. Он уверяет в своей преданности великому хану! И его мудрому и могучему беклярбеку, да-да-да. Только очень-очень прошу вернуть ярлык на великое княжение. В интересах общего блага. Потому что Москва лучше сумеет собирать налоги и вообще влиятельнее Твери. Ошибки не повторятся!

И Дмитрий возвращается домой великим князем.

И все бы хорошо, да что-то нехорошо...

Великое розмирье

Розмирье — это вражда. Рознь немирная. Миры дотоле согласных соседей разбежались в стороны и стали отдельны, неприязненны, чужды. Но пока без столкновений. Типа поссорились и перестали разговаривать.

В 1374г. в Новгороде убили ордынского посла и его окружение. За аналогичное преступление полтора века назад Козельск был вырезан под корень. Что Козельск — от Хорезма остался прах и пепел! Яса Чингиза подобное убийство считала тяжелейшим и непрощаемым преступлением. Но могила Чингиза давно была затоптана конями и заросла степной травой. И монгол пошел уже не тот.

Вырезать и сжечь Новгород сил не было. Сами русские князья виновных никак не наказали — времена карательных походов Александра Невского минули безвозвратно. Повеление выдать преступников осталось без ответа.

Митрополит Алексий осудил преступление и предал анафеме убийц — но и только. Новгородское княжество независимо, в Великое Московское не входит, светские власти бессильны, а церковные что ж еще могут?..

Отношения напряглись; неприязнь меж Русью и Мамаевой Ордой копилась. Мамай не мог оставить своих людей неотомщенными, и обе стороны это знали.

Тогда и началось «великое розмирье» меж Русью и монголами.

Налоги — «дань» — платили неравномерно и по мере ощущаемой необходимости: чтоб не вспыхнула преждевременная война. А войну ждали и к ней готовились.

Непобедимые и легендарные: прощупывание

Непобедимых армий не бывает, заверил летом сорок первого года разгромленный товарищ Сталин, и в данном случае был совершенно прав.

В середине XIII века монголов боялись все, а они — никого. Монголы были непобедимы. Но во второй половине XIV дело обстояло уже иначе. Степной порыв несколько выдохся, а хорошая жизнь расслабляет быстро. Монголов стали бить.

В 1362г. на Подоле, у реки Синие Воды, а по-простому у Синюхи, Ольгерд, великий князь литовский, русский, жемайтский и прочая, успешно разгромил монгольское войско, возглавляемое тремя нойонами: Кутлуг-беем, Хаджи-беем, а вот третьего нойона звали как-то не по-татарски — Дмитрий. Гм. Нойон — это типа европейского барона или даже графа, знатный воин-землевладелец, аристократ; тот же русский удельный князь. Что же касается Дмитрия, он же Дмитр без всякой приставки «бей» — за полтора века русские и монголы весьма породнились и ассимилировали в социальной жизни. Короче, вломили и Дмитру. И целиком территория Киевского княжества и Подол вошли в состав западного русского государства.

Годы шли, и Московская Русь также стала пробовать монголов на вшивость. А именно: в 1365 Тагай-бек из улуса Мохши (в Мородовии) разорил рязанские земли и сжег Переяславль-Рязанский. Рязанцы и карачаевцы собрались и нагнали отяжелевших террористов-грабителей на речной переправе. Ну, и покарали, сам бек еле спасся.

А через пару лет Булат-Тимур, эмир Волжской Булгарии, пошел разжиться добром на нижегородчину, был перехвачен суздальско-нижегородским войском на реке Пьяне, бит, рассеян и изгнан.

То есть что ни год — шла такая борьба за мир, что камня на камне не оставалось. А Русь крепчала и бодрилась!

Кстати — заметьте: в 1373 году Мамай сжег Рязань. И это вполне сошло ему с рук. Рязань вообще еле уворачивалась от полной гибели все это время.

В 1376г. московское войско вместе с суздальцами и нижегородцами двинулись на Среднюю Волгу, в ту самую Волжскую Булгарию. Вел армию московский воевода Дмитрий Боброк (будущий герой Куликовской битвы и фигура загадочная). В походе пожгли массу сел и перебили массу народа. А была ведь та Волжская Булгария, что принципиально, улусом Орды. На тот момент — под ним, под неукротимым Мамаем.

Булгарский начальник Хасан-хан проиграл битву под стенами столицы, заперся и уплатил отступного — 5000 рублей дани. Это было круто. И обязался платить дань ежегодно. И русские вывезли к себе все орудия. И посадили в городе своего таможенника — со всех идущих товаров взимать Москве пошлину, и вообще контролировать сбор дани.

Заметьте — почему взяли с Булгарии именно 5000 рублей, а не 4500 и не 6000. А потому что именно эту сумму Мамай требовал с Руси в качестве задержанной годовой платы. А денег не было. А тех, что были, было жалко. И русские выступили «с особенным цинизмом» — вынули из кармана одного мамаева улуса то, что Мамай и требовал с них положить ему в другой карман. Крутой юмор эпохи.

Мамай разъярился. Мало того, что этот «великий князь московский», который униженно клянчил вернуть ему ярлык, не платит налогов сам! Так он еще опустошает другой его улус и смеет обкладывать данью в свою пользу! То есть Москва решительно предъявила свои национальные интересы. И подверглась санкциям.

Следующим летом, 1377, на Русь движется с юга карательная экспедиция Араб-шаха Муззаффара. То ли Мамай его послал, то ли он сам решил булгарский улус под ордынскую руку вернуть, после чего стал ханом в Сарай-Берке — ученые не знают, и мы не узнаем. А только все на той же бранной реке Пьяне новая битва кончилась уже иным образом. Араб-шах разнес русские полки из Владимира, Мурома, Ярославля и еще несколько. Двое русских князей, командовавшие войском, погибли. Монголы разорили Нижний Новгород, сожгли Рязань (ну просто проклятье какое-то), головешки остались и от Новосильского княжества.

Заодно нагрянула пограбить и мордва. Была отбита. И земли ее той же зимой русские подвергли страшному опустошению.

А вот в следующем году состоялась победная для русских битва на Воже — притоке Оки. Мамай отправил на Русь корпус из пяти туменов — 50 000 бойцов (их никто уже не пересчитает и огромную цифру не уточнит). Великий князь московский Дмитрий Иванович лично командовал московским войском, к которому присоединились отряды Пронского княжества (один из уделов Рязани) и, возможно, псковичи.

Последовал страшный разгром и почти полное уничтожение захватчиков. Все монгольские командующие во главе с мурзой Бегичем погибли. (Откуда у монгола белорусская фамилия — имя? — Бегич? Не сербская же. И почему один из четырех погибших нойонов-темников именовался Костров? Ну, славянам военная карьера в Орде отнюдь не возбранялось...) Мамай отполз, затаив злобу, как писали в романах.

Да, так это случилось в 1378, а в 1379 московиты опять отправились на войну. Литва у них зачесалась. С Литвой войны долго шли!.. Хотя подвергшееся очередному освобождению Брянское княжество то входило в Литву, то не входило. Но только уделы его Трубчевск и Стародуб перешли под московскую длань.

Мы — мирные люди

То есть. Двадцать лет, предшествовавшие Куликовской битве, Русь воевала беспрерывно. Иногда удивляешься: когда хлеб сеяли-жали, когда детей растили и хозяйство вели?..

Всех битв и стычек мы здесь перечислить не в состоянии. Это будет толстенная монография «Русские войны середины XIV века». Что ни год, что ни год, да еще не по одному разу!..

Воевали с татаро-монголами и друг с другом. С Мамаем и с его соперниками. С Литвой и с мордвой. Заключали друг с другом союзы, которые тут же распадались и составлялись уже в новых комбинациях. И каждый пытался остаться независимым, и сам подчинить себе кого можно, и найти могущественных союзников, и кинуть их при первом выгодном случае.

Так что ко времени Куликовской битвы народ был идеологически отмобилизован и к бранному делу привычен. Модус вивенди, так сказать. Образ жизни, то есть. Ратное дело есть такая же естественная часть природы, как времена года, пахота на прокорм семьи и смена поколений.

Битвой больше, битвой меньше. Так и живем.

Мильон терзаний в сумасшедшем доме

Ты собираешься разобраться лишь в одном историческом событии — и вскоре оказывается, что влез в дебри хитросплетений той эпохи, клубок разматывается и сплетается в паутину, твои мозги опутаны безумством связей и дат — и чем дальше в лес, тем наглее и бесчисленней мельтешат в глазах партизаны.

Что можно знать о средневековой истории, если сегодня мы так и не знаем, кто убил Кеннеди? Если советские архивы Второй мировой войны частично засекречены, частично уничтожены, а частично перевираются с особенным цинизмом? Если сто лет подряд каждый лидер страны приказывает лить деготь на предыдущего? Если сегодня (март 2015) Россия яростно отрицает, что злополучный малазийский «Боинг» над Донбассом был сбит российской ракетой? А вооруженные силы России не сражаются там же с украинской армией (ну разве что солдаты взяли отпуск и самовольно поехали провести его в Донбассе и повоевать там)?

Историю пишут победители — это внешнеполитическую историю, когда война кончилась. А вообще историю пишут власти. Ставят задачу историкам — и историки оформляют желаемую власти точку зрения в монографии и диссертации. Чем авторитарнее строй — тем управляемее история.

И журналисты пишут историю — опосредованно. Журналисты создают идеологическую атмосферу в обществе. И историки, надышавшись этой идеологизированной атмосферой, пишут историю. Глаза у них от искреннего патриотического угара встают поперек лба, и вот под таким углом зрения они и рассматривают историю. Особенно родную. Мама не горюй.

То есть. История — это политика, обращенная в прошлое. Пардон за банальность.

Но мы с презрением отвернемся от этой продажной девки всех режимов. И обратимся к историкам честным и непредвзятым. И что же мы имеем? Не понос — так золотуха. Не нравится чума на оба ваших дома? — холера ясная вам в бок.

Что делает честный историк? Он валит факты, как самосвал кирпичи. Контуры постройки в этой груде уловить трудно. Практически невозможно. Факты заваливают и плющат историка, как лавина лягушку. Расплющенная лягушка гордится самоотверженностью своей жертвы. И декларирует, что принципиально чуждается версий и тенденций. Ее интересует истина. Истина — это лишь неоспоримые факты. А причины и мотивы — всегда неоднозначны и спорны.

Беда в том, что заваленный фактами историк, не держась за путеводную нить версии, почему это все стряслось, перестает видеть лес за деревьями. Остаются два принципа изложения фактов: хронологическая последовательность и конкретные следствия. Сделали то — вышло вот так. Все.

И тогда — и тогда! — насилуемая с особенным цинизмом история в отчаянии расстается со своим смыслом. Потому что историк не в состоянии отделить принципиально важные факты от прочих груд и залежей. И становится верхоглядом: видит только главные поражения, победы и изгибы.

С политической точки зрения все объясняется стремлением к власти и могуществу. Все неудачи объясняются сакральным словом «кризис».

С экономической точки зрения все объясняется стремлением к обогащению.

С психологической точки зрения — есть властолюбие и амбиции вождей и царей.

Все. Перекур. А в шестнадцатый номер — шампанского! Там банкет по случаю присвоения звания «академик».

* * *

Но ты же должен понять, какого хрена ты идешь войной на соседа. Если пограбить — тогда хоть ясно. А если ты — мирный работяга, кормишь семью, умирать тебе неохота — чего прешься в чужой предел? Смерти ты боишься, калекой стать ужасаешься, убивать не любишь, разбогатеть с той войны не рассчитываешь. Чего прешь? Власть приказала?..

А вы думаете, идеологическая работа с массами появилась только в XX веке? Вы не учитываете влияние элиты государства — князя, дружины, бояр, церкви — на «простой народ»? Вы полагаете, агитаторов изобрели большевики? Вы забыли, что мировоззрение верхушки матрицируется на нижние этажи социальной пирамиды?

А стадный инстинкт вы полагаете присущим только быдлу, но высокодуховный народ ему не подвержен? Все ему подвержены, господа хорошие, либералы с консерваторами. И эксплуатируют этот инстинкт рекламщики всех мастей: торговые и политические, от искусства и от истории. Ибо человеку — на уровне инстинкта! — потребно иметь мнение, солидарное с мнением большинства общества, и в действиях своих поступать подобно большинству общества. И ум инстинкту не помеха.

...У нас в мозгах сидит одна страшная ошибка. Мы полагаем, что предки были глупее нас. Ну, простоватее, наивнее, что ли. Они не знали физики и математики, не имели радио и телефона, автомобилей и самолетов не было — жизнь их была куда примитивней и скуднее нашей. Вечер при лучине, из музыки — гусли и пение с притопами.

Вдобавок — что ужасно! — вредоносный вклад внесли русские исторические романы и особенно фильмы. Там из благих намерений выведены благородные недочеловеки. Они разговаривают выспренным, тяжелым, неестественным, полуцерковным языком. У них нет чувства юмора, они практически не улыбаются, не шутят, а хохочут изредка тяжелым оперным смехом, и чтоб было видно отличные зубы. В их отношениях нет легкости, естественности, простоты — все с выломом, с вывертом, с надрывным историческим пафосом.

Они примитивнее нас. Душевно и умственно проще. Достижений цивилизации лишены, в устройстве мира несведущи. Нет — они умеют любить и ненавидеть, хранить верность и прибегать к коварству, проявлять доблесть и мстить. Но набор их чувств и стремлений краток и прост. Сплошные основные инстинкты. Правда, мощное древо патриотизма затеняет стремления половые, бытовые и стяжательские.

На быт они внимания обращают мало. Чтоб там годами надрываться ради собственного домика, или отказывать себе в лишнем куске, чтоб жене обновку на ярмарке купить, или рыдать семьей, что с князем уж который год не расплатиться — не, мы выше этого. Мы такие былинные патриоты.

Не люди, а помесь Васнецова с Псалтырью. Не портили девок, не вешались от несчастной любви, не крали у соседей, не выслуживались перед князем, не откупали правдами-неправдами сына от армейской рекрутчины, не завидовали богатым и удачливым, не радовались обновке, не хохотали беспричинно в юности, не чернели от горя при смерти близких.

Боже мой, они же были точно такие же, как мы сейчас. Чего-то не знали — зато знали другое; объем информации в мозгу всегда тот же. И так же всего хотели, и так же надеялись, и так же мечтали о справедливости, и хотели счастья детям, себе-то уж ладно.

И у них, наших братьев и друзей, близнецов, сдвинутых временем в собственные предки, были те же представления о родине. И о врагах. И о пользе своего народа. И об общем благе, которое выше личного. И о том, что власть всегда все повернет себе на пользу. И об изменениях, которые необходимы и во внешней политике, и во внутренней. Чтоб не смели чужаки нам со стороны диктовать, как жить — у нас свои традиции и свои ценности, они нам дороги. И чтоб власть меньше под себя гребла, а больше бы о людях заботилась, жить им нормально давала.

И бояре преследовали свою пользу, а церковь — свою, а смерды мечтали о своей, а у князей болела голова, как всех примирить, и в кулаке держать, и казну наполнить, и у татар в милости быть. И ценились, как всегда, хитроумные и понятливые люди, которые могли сообразить и подсказать, как князю укрепить власть и разжиться добром, а чтоб при этом еще подданные ему верили, любили, уважали и гордились. А вдобавок боялись и пикнуть не смели! И на сторону не глядели.

Тяжела княжья шапка. Мономах не один был такой озабоченный.

...И вот когда ты проникнешься отчетливым осознанием, что русские в середине XIV века были точно такие люди, как мы все здесь и сейчас — вот только тогда можно начинать разбираться в истории. Можно уже пытаться.

Потому что многознание фактов уму не научает. И повторить в стотысячный раз трафаретное их толкование может любой дурак.

А история — это: почему же так, черт возьми, произошло? Кому и какая была с того конкретная выгода? Какие были мотивы? Чего надо было людям, которые в этом участвовали? Какова истинная, глубинная, базовая логика и причинность всей катавасии, в которую ты влез?

А для этого сначала надо подготовить поле работы. Это: выложить все принципиальные факты — и прежде всего непонятные, странные, необъяснимые.

Искать корни странных и необъяснимых фактов и рыть вдоль них: откель растет? Чьим соком питается? Где основа корневища, где тело грибницы этих затейливых исторических нитей, которые вылезают наружу столь яркими и дикими грибами? Из тех грибов хлебать похлебку — галлюцинации закружат.

И вот когда картина и карта фактов обнажена — тогда можно начинать разбираться, что все это значит.

...А жизнь на Руси 1360–70 годов была настолько сложна, изменчива, стремительна и противоречива, что с нахрапа фиг поймешь.

А людишки в этой жизни были сложны и противоречивы, как всегда: добрые и жестокие, подозрительные и доверчивые, коварные и наивные, мечтатели и убийцы, грабители и пахари, верноподданные и бунтовщики — и все это в одном лице. И пока ты личика этого не разглядел, выражения глаз прищуренных не разобрал — ничегошеньки ты не понял. Дела перечислил, а страсти и замыслы тайной остались.

Ты, главное, считаешь себя ну всяко чуток умнее их, потому что наперед знаешь все их ошибки и просчеты. Зная все — из умных книг, из мыслей и пересказов других людей — ты невольно воображаешь, что на их месте не совершил бы их ошибок. Тебе же все ясно. И ты поступил бы верно. И добился успеха. А так — тебе явно их умственное несовершенство. И свое умственное превосходство.

Живая собака гордо сравнивает себя с мертвым львом. А ты с живым сравни.

Дурак ты, дяденька, и мысли твои дурацкие. Ты сам-то многого в жизни добился? Достиг высоких высот власти? Шансов не упускал, вокруг пальца тебя не обводили, как лоха не кидали внаглую? Ты твердо знаешь, как добиться в жизни всего желаемого — а ведь о власти и богатстве великого князя не мечтаешь, а? Ты много битв выиграл, интриг сплел, престолов занял? Молчи, вошь ничтожная в складке истории.

А история — это смысл происшедшего, а не его оболочка.

Исторические аналогии

Четырем профессиям можно уподобить работу историка.

Первая — это работа разведчика-аналитика.

Такой разведчик не имеет доступа к ранее не известным секретным архивам и документам. Не осуществляет слежку за объектами наблюдения. Строго говоря, он знает лишь то, что может узнать каждый. Работает с открытыми источниками: газеты, мемуары, речи политиков и экономическая информация. И на основании известных фактов, вычленяя некоторые из множества, он вскрывает систему действий, засекреченную к упоминанию. Ищет взаимосвязи разрозненных событий, ставя вопросы: зачем, почему, с чего бы, для чего это нужно и кому выгодно?

Он складывает разбросанные цветные стеклышки в стройную мозаичную картину. Чертит контурную карту тщательно скрываемого секрета.

Вторая непростая работа — это врач-диагност. Он считает пульс и мерит давление, смотрит язык и стукает по колену, выслушивает дыхание и интересуется температурой. И сообщает, чем человек болен и как лечиться. Заметьте — посмертного эпикриза, этого исчерпывающего аргумента бесспорной достоверности, у диагноста нет. Результатов вскрытия нет. Носитель последней истины — патологоанатом. Но диагност, к счастью, обходится без вскрытия. Знание общей картины болезни позволяет установить истину по нескольким разрозненным, но характерным симптомам.

И третья профессия — это реставратор картин. Ему надо смыть с драгоценного холста позднейшие верхние слои копоти и красок. Это занятие требует огромной бережности и знаний — чтобы не снять лишнего и лишнего не оставить. Чтоб открыть прежний живой цвет и закрепить его. А для того необходимо хорошо разбираться в живописи предполагаемой эпохи, в жанровых особенностях, в манерах знаменитых живописцев. И в случае удачи — из-под потемневшей мазни открывается шедевр, неожиданный в сиянии своей красоты.

Ну и четвертый — следователь. Подследственный сидит перед ним на стуле, курит предложенную сигарету, пьет чай и искренне убеждает в своей невиновности. У него прекрасная трудовая биография, благородные взгляды, он помогает окружающим и душой болеет за родину. Все повороты биографии продиктованы гуманными взглядами. А следователь суммирует в уме нестыковки такого литературного, вызывающего доверие рассказа — и врубает неожиданные вопросы. А откуда деньги на новую квартиру? А откуда у жены кулон пропавшей родственницы?

А чем вы болели пять дней в сентябре, больничный можно ли глянуть, а то в поликлинике записи нет? И через неделю благородный человек трясущимися руками пишет чистосердечное признание. А отсидевший год ни за что бедолага выходит на свободу со снятой судимостью.

Вот что такое работа историка.

Сентенция

Нужно чудовищно много знать, чтобы понять хоть малое из всего познанного.

Моральный дух! Сознание своей правоты и вера в победу! Было — или не очень сильно? А шли — в охотку, или все же из страха, по приказу, по закону, куды ж из-под князя денешься?

О русском едином мире думали? Или о семье и доме? Прожить-то под всяким можно, только бы князья промеж собой не враждовали и семь шкур не драли с простого человека, дышать бы дали...

А как была именно пропаганда поставлена? Как на патриотизме играли, на самолюбии?

Идеальный историк невозможен. Информация теряется безвозвратно.

Историк разведывает, диагностирует, реставрирует истину.

Да кто такие татары?

Масса кочевых племен жила в забайкальской и маньчжурской степи. Это были даже не племена, а союзы племен: меркиты, найманы, буряты, кереиты и т.д. И каждое племя состояло из родов. Родоплеменной строй кочевников-скотоводов. И татары — это была одна из племенных групп.

Великий Чингиз, создавая Монгольскую империю, перемешал все народы в своей армии, организованной по десятичной системе: десятки, сотни, тысячи, десятки тысяч. Единый закон, единая дисциплина, единые задачи — и ответственность каждого за товарища.

Диалекты, обычаи и привычки — все унифицировалось бытовым порядком; сплавлялась единая ментальность, племена превращались в один народ.

К волжским булгарам, которых теория полагает предками позднейших казанских и астраханских татар, этнически монгольские племена никакого отношения не имеют.

Нойоны же из забайкальского племени татар составляли заметную часть монгольской аристократии и военного командования (тысячников). Так что татары среди монгольских завоевателей безусловно были.

Но почему название татар распространилось на Руси и в средневековой Европе на всех монголов — наука не знает. Лингвистика называет слова типа «татары» фонетически корректно оформленными. То есть звучат хорошо, комфортно для слуха и произношения; просто и легко запоминается.

А «татаро-монголы» — это такой гибрид-катамаран: чтоб и с «нашими» татарами не путать — и с теми монголами, которые до Руси касательства не имели. Татаро-монголы — это кого надо монголы, наши личные завоеватели.

Так из кого они состояли?

Монголов было мало. Никогда все вооруженные силы всей гигантской империи — 38 млн кв. км, самая огромная площадь в истории! — не превышала полутораста тысяч человек. Это в Китае, в Сибири, в Европе, в Средней Азии и на Руси.

Компенсируя свою малочисленность и охваченные идеей единого мирового государства, монголы относились к покоренным народам своеобразно. Контрастно относились.

Сопротивлявшихся вырезали под корень. Выказавших недостаточную меру восторга по поводу вливания в братскую семью народов — подвергали селекции: кого под нож, кого для хозяйства, кого в койку, кого продать.

Но. Очень быстро хищническая оккупация и разорение стран — сменилось хозяйской аннексией. Пусть хозяйство работает — и платит ежегодно. Грабеж и контрибуция сменились разумным налогом. Не режьте курицу — пусть несет яйца.

Следить за товарно-денежными потоками сначала сажали своих людей — а потом обратились к доверенным лицам из местной, так сказать, администрации. Они собирали налоги и сдавали — а за несдачу могли лишиться места, украденных денег и головы.

На высоком уровне стали заключаться браки между монголами и местной знатью.

Монгольские, тюркские, персидские, русские слова начали смешиваться и видоизменяться в этом «пиджин-монголише», языке интернационального общения.

А самое главное — они стали брать рекрутов из местной молодежи. Это было престижно! Ты становишься воином сильнейшей в мире армии, перед которой трепещет мир! В своем десятке ты равен с остальными — национальность и вера не имеют значения.

Армия не только сама себя кормила и снабжала — по мере похода она отнюдь не таяла, но росла! Определенно монголы были гениальными администраторами.

Половцы, китайцы, таджики, славяне — становились гражданами империи. Они не могли претендовать на центральное руководство — это прерогатива оставалась только за монголами. Но могли возвыситься до уровня «средней администрации» в метрополии — или быть лидерами регионального масштаба у себя дома.

Во что они верили

Еще одно, последнее сказанье — и интермедия закончена моя.

Считают ли монголов монотеистами или политеистами — абсолютно нам не важно. Одни утверждают, что тенгрианство — культ бога Неба Тенгри — включает в себя и поклонение богине Земли Умай, и богу подземного царства, и элементы огнепоклонничества. Другие полагают, что у монголов был целый пантеон богов — Тенгри типа Творца и Зевса, а Этуген — типа Геи — матери-Земли; и духи разных мест всегда вокруг человека, а духи его предков обитают на небе и соучаствуют в земных делах.

Верхушка кераитов еще в XI веке приняла христианство (далеко забирались миссионеры). Это было несторианство — с казуистической точки зрения несколько упрощенное и более логичное на уровне богословских тонкостей учение (какая нам разница?..).

Чингиз-хан мудро выказывал уважение всем религиям, сам не будучи подвержен ни одной. У бога много имен, и все пути ведут к нему.

А хан Хулагу, один из внуков Чингиза, по решению курултая возглавил поход через Иран и Сирию на Иерусалим — освобождать святые земли от мусульман. (Иногда так и называют — «Желтый крестовый поход».) И ведь дошел до Египта! Его старшая жена-христианка покровительствовала христианам. Его доверенный военачальник Китбука был христианином. Его союзники король Киликийской Армении и князь Антиохии были христиане. И масса христиан из греков и ассирийцев пошли с монголами освобождать свои святыни.

То есть. Да они были просто воины-интернационалисты!

Ислам и иммиграция

В 1313г. в Золотом Шатре, в ставке Орды, что в столице ее городе Новый Сарай, он же Сарай-Берке, воссел великий хан Узбек. Шатер был юртой из обычного войлока, но огромной и высокой, вмещавшей сотни человек. А вызолочены были все деревянные части: дверь с порогом и косяками, внутренние опоры и поперечины, стены же изнутри затянуты золотым китайским шелком.

Красавцем-мужчиной был и сам Узбек: рослый, стройный, располагающий к себе лицом и приятными манерами. Умен и жесток, само собой. Перерезал кого надо на пути к власти. Правнук Батыя!

Через семь лет правления Узбек официально принял ислам. И ладно бы. Но он вознамерился сделать ислам государственной религией Орды!

Вот это соратники и сотрудники не одобрили. Хамское вмешательство в личную жизнь, в интимный вопрос веры. Это было неслыханно — и это противоречило Великой Ясе Чингиза!

А наслушался Узбек Папу Римского и Патриарха Константинопольского. И суфиев из Дамаска и Багдада. И пришел к выводу, подобно Владимиру Крестителю за три века до него. Что для скрепления державы нужно единомыслие и управление верой своих подданных. Ну, и войти в орбиту великих и богатых стран, объединенных верой в общее религиозно-политическое пространство, так сказать. Единоверец — более вероятный союзник и партнер в мире нашем, раздираемом враждой. Узбек взял в жены дочь византийского императора, а племянницу выдал замуж за турецкого султана. Сильный среди равных! Стабильность, опять же.

И, следует заметить, именно при Узбеке Орда достигла максимального могущества, влияния и богатства. Правильно все понимал.

И. Непринятие ислама монголом влекло за собой ханскую немилость. Русские, кипчаки, греки пусть верят в своих кварталах Сарай-Берке во что хотят: есть церкви, и мечети, и языческие капища. Но монголы — нация государствообразующая, костяк пусть будет крепок своим единством.

Хранившие верность традициям предков — монголы стали сваливать из метрополии. В провинции ты не на виду, можно хранить честь и достоинство.

Вот так монголы стали мигрировать на ПМЖ в русские земли. И многочисленные русские фамилии, в их числе знатные и славные, происходили от них: Баскаковы и Аксаковы, Басмановы и Кутузовы, Курбатов, Рахманинов, Юсупов, Ахматов и прочие Урусовы, и несть числа.

Ассимиляция

Все великие народы — соборные. Составившие себя сначала из союза племен, потом из группы соседних народов, потом захватив и переварив дальних соседей, а также растворив в себе народы пришлые.

Сплавление славян, северных германцев, чуди, мордвы, половцев, печенегов и прочих в единый народ — остается сейчас за рамками рассмотрения. Нас монголы интересуют, татары они же. И даже конкретно Куликовская битва как результат предшествующих полутора веков любви и дружбы народов.

Начали.

Великий князь Киевский и Владимирский Ярослав Всеволодович (XIII век) предлагает князьям признать Бату-хана своим ц а р е м . В качестве великого князя значительной провинции Золотой Орды (беклярбек) он едет на великий курултай в Каракорум, где выбирается новый каган Империи. Принят там с почетом. (На обратном пути отравлен: когда нельзя убить хозяина — убивают любимого слугу: новый каган Гуюк ненавидел Бату, который потому и не приехал сам.)

Александр Ярославич (Невский), названый сын (брат сына) Батыя, прожил у него юношей не один год; и постигал монгольские представления о жизни. Позднее изгнал с великокняжеского стола старшего брата Андрея. Карательный поход на Русь он совершил с татарскими войсками, и было городам большое разорение, и людей в полон угнано без числа. (Там плелись интриги между Гуюком и Бату, Андрея обвинили в утаивании дани и умысле на бунт, и много всякого, как всегда мотивируются подобные истории.)

Глеб Василькович, первый князь Белозерский, женился на внучке Батыя, по крещении Феодоре.

А дочь их Мария Глебовна вышла замуж за Даниила, младшего сына Александра Невского и – что очень важно! — первого князя именно и конкретно Московского, и таким образом основателя всего правящего дома Московских князей. Которые в дальнейшем стали царями Руси.

То есть. Государи российские до Бориса Годунова были по женской линии чингизидами. Так-то!

Великий князь Владимирский и Московский Юрий Данилович, праправнук Батыя по женской линии, женился на дочери хана Узбека, правнука Батыя по мужской линии.

И так далее, и тому подобное.

...Так что пребывание Руси в качестве улуса единого наднационального и надрелигиозного государства, как строил свою Великую Монгольскую империю Чингиз-хан, было не просто так. Все были повязаны и сплочены общей кровью, общим родством, общим законом и единой «вертикалью власти».

И все войны внутри этого мирового государства воспринимались именно как внутренние разборки, домашние дела, не посягавшие на основы и устои. Грызлись за власть и деньги — так это же обычно; это нормально.

Что получила Русь?

Об этом уже писали.

Сохранение своей веры и своего уклада жизни. При западной экспансии и подчинении Римской церкви это бы не прошло. Русь в той или иной степени ассимилировала бы в Европе, утратив часть своей идентичности. Плохо это было бы или хорошо — другой вопрос.

В то же время за два века единства с Ордой Русь немало ассимилировала в ней: элементы языка, кровное родство, управленческие навыки, но главное — ментальность и принципы государственного устройства: беспрекословный абсолютизм.

Вхождение в единое экономическое пространство огромного государства. Безопасность передвижений в нем. Оживление торговли. Что стимулировало рост экономики.

Возможность военной и деловой карьеры в масштабах всей империи. Национальное происхождение роли тут не играло, если человек не метил на самый верх политики.

Московская Русь — это как?

К середине XIV века, о которой мы ведем речь, тщетно пытаясь не отвлекаться, Великокняжеский стол традиционно числился во Владимире. И Великое княжение Владимирское означало старшинство над князьями, как бы это точнее выразиться, всего региона.

При этом жить во Владимире или быть из него родом не требовалось. Чаще всего это Великое княжение получали (лицензия от Орды) князья Московские. Но бывали и другие. Спорили, интриговали.

Отнюдь не все князья только и мечтали встать под великокняжескую длань. Удельный князь, руливший в своей отчине, предпочел бы независимость. Но его не всегда спрашивали.

Первое. Это иерархия средневекового феодализма. Великий князь, как и современный ему западный король — первый среди равных. Каждый вассал ревностно блюдет свои наследственные права. Он связан с боссом договором о военном сотрудничестве и общих расходах в случае войн. Он борется за право чеканить свою монету, чего чаще всего не получает (это очень важный экономический момент). Он отстаивает право на собственный суд в своих владениях. Он имеет право на свое войско. На стены вокруг городов.

Второе. Каждый удельный князь стремится к максимальной независимости, естественно. Но вынужден взвешивать как угрозу со стороны Великого князя — так и пользу от союза с ним в случае общей внешней опасности. Дипломатия той эпохи была чрезвычайно сложна, толкователи-правоведы поднаторели в казуистике, баланс силы и права колебался неустойчиво. Политика и война толкались бок о бок.

Третье. Соотношение объемов удельного права и права великокняжеского постоянно менялось. То есть правовое поле не было величиной постоянной. Каждый тянул в свою сторону.

Великое княжение — это как?

Это так, что великий князь рулил от имени хана Орды. (Как назначенный губернатор от имени президента.) Сей хан на Руси именовался царем еще со времен Ярослава, Александрневского папы.

Спорные вопросы с удельными князьями он решал при помощи татарской конницы, если не хватало сил собственных.

Главных обязанностей великому князю вменялось от Орды две.

Вторая — чтоб в улусе был порядок, управляемость, подчинение.

А первая — чтоб регулярно и неукоснительно собирался налог со всего его Великого княжества и доставлялся в Сарай.

Вот этот сбор налога был куском столь лакомым, что за него стоило бороться, плести интриги и устранять конкурентов любыми способами. Ибо власть и деньги увязывались в один пакет, как водится.

Налог отвозился раз в год — а способов погреть руки на этих деньгах была масса. Собрать раньше — и пустить в оборот, прибыль забрать. Дать под уплату денег в долг — и после содрать с удельного князя проценты за кредит. Уменьшить в отчетных документах число душ — и часть собранного отрулить в свой карман (переписи были редки — и первую перепись на Руси провели монголы, заметьте, их цивилизованные китайцы быстро научили денежки считать).

Ушлый финансово-юридический отдел Великого князя научился при помощи уловок собирать до 300% ордынского налога — оставляя две трети «для внутреннего пользования»! А вы говорите «коррупция»...

Иногда находился независимый нравом и храбрый мелкий князь, который хотел отвозить налог в Сарай сам. Связи завести, знаете, путь наверх позондировать. Великий князь его укорачивал. Мое право! За хранение и транспортировку денег, сами понимаете, платить полагалось и тогда. И тут уж тарифы Великий князь устанавливал сам, Орда в эти внутренние мелочи не лезла. А это законная банковская прибыль! Хорошо быть великим.

Еще надо было по приказу ставки — людей поставлять в ордынскую армию, призыв рекрутов обеспечить. А призывники от военкоматов и тогда откупались — люди-то те же...

Так что профессия великого князя была очень прибыльной. Хотя и повышенного риска. Хлопотной и опасной.

Объединение вокруг Москвы

А куда б они на фиг делись.

Орда была заинтересована в организованности и бесперебойном функционировании своего государства (а как иначе?..). В том числе и Русского улуса. Беклярбеку полномочия — с него и спрос. Он обязан контролировать подотчетные территории.

Поставить удельное княжество в зависимость от себя — значит собирать с него деньги, рекрутов, и мало ли какую пользу случится получить.

Великий князь Владимирский, он же Московский, заинтересован в чем? В расширении базы своего кормления. В росте своей власти и возможностей. Он ставит под себя квартал, район, город, республику... тьфу! в смысле гангстер расширяет свою империю, в смысле князь княжество.

То есть. Приходят серьезные пацаны и от имени «смотрящего» и всей братвы делают предложение, от которого нельзя отказаться: мы тебе пришли крышу ставить. Такой порядок. Платить будешь нам. А мы тебе даем свою поддержку. Гарантируем безопасность. В случае любого наезда — обращайся к нам: сотрем гадов в порошок, заставим заплатить за все. Теперь все так живут — по понятиям, понял? А сами оружием увешаны, и рожи бандитские — таким зарезать честного коммерса одно удовольствие.

Князь взвешивает: соседнее княжество в прошлом году вырезали и разорили. Для сохранения лица собирает бояр и они якобы советуются. И оформляют дело так, что не с ножом к горлу вопрос поставлен, а типа по обоюдному согласию и для взаимной пользы.

Да ведь и правда. Все равно татарам платить. И наехать может неизвестно кто. А тут все же Великий князь — русский какой-никакой. И в Орде связи имеет. Выбираем стабильность!

И удельный князь переходит в вассалы Великого. А или вообще его выгонят к чертям свинячьим, а княжество так и всосут в Московское. И назначат наместника за порядком следить...

...А вы думали — князь собирает бояр, следом —

народное вече, и они судят-рядят и постановляют: а давайте присоединимся к Москве, и тогда мы будем более крупным и сильным государством, и это будет хорошо? Ну, правда к ордынскому налогу прибавится налог великокняжеский, уж это само собой. И решать, как жить, за нашего князя с боярами будет Москва, а наше дело подчиняться. Но зато будем вместе, на пути к будущего великому государству.

Вы много видели патриотов, которые объединяют свои отдельные квартиры в одну большую коммунальную? Радостно подчиняются ответственному квартиросъемщику? И мечтают, как их правнуки построят общий небоскреб и будут им гордиться?

Объединение русских княжеств вокруг Москвы происходило обычным для истории путем: захват, завоевание, покорение, всасывание — вынудить, заставить, склонить, загнать в зависимость от себя.

История: аналогии и принцип

Будьте любезны — постарайтесь припомнить: какие части Российской Империи присоединились к ней добровольно? Напрягите память, вспомните дружбу народов недавних и давних времен!

Новгородская Русь. Александр Невский с монгольской конницей огнем и мечом прошел по ней, резал носы и головы, загнал в покорность монголам и заставил платить дань. Через три века потомок Мамая, первым из Великих Московских князей принявший ордынский титул царя, Иван Грозный залил новгородскую землю кровью, уничтожил вольности и подчинил полностью.

Казаки Богдана Хмельницкого (головорезы, между нами), после войн с поляками и опасных союзов с крымскими татарами, привели под руку Московского царя Запорожье и черниговщину с полтавщиной у левобережья Днепра; плюс Киев. (А тридцатью годами ранее запорожцы под командой гетмана Сагайдачного жестоко разоряли Россию и штурмовали Москву, защищаемую князем Пожарским. Политика-с.)

Остальную Украину и Белоруссию Москва отвоевывала у Речи Посполитой.

Крымское, Казанское, Астраханское, Сибирское ханства — завоеваны.

Крайний Север, Камчатка — классическая колонизация территорий, заселенных дикарями.

Две трети Польши — вооруженный захват с уничтожением независимости и кровавым подавлением восстаний.

Маньчжурия, Дальний Восток, Приморье — под угрозой силы отобраны у Китая.

Туркестан, то бишь вся Средняя Азия — завоеваны оружием.

И лишь части Грузии и Армении перешли под российскую корону без возражений или согласно собственному желанию, силой оружия отобранные у мусульман в результате русско-турецких и русско-персидских войн.

(Про Крым и Донбасс в 2014 году — ни слова!)

То есть. За тысячу лет истории — ни одного мирного «объединения» за исключением контролируемой запорожцами части Украины в XVII веке.

...Так с чего думать, что именно в 1380-м году и сразу после — все было иначе? Какие основания, факты, документы — кроме патриотичного хотенья объяснить процесс объединения возникшим чувством родства? Прекраснодушный бред как исторический метод.

Тяжка была московская длань, коварен ум, жаден норов. Всех нагнули! И в такой вот позе объединили.

Княжества московские

С учетом вышеизложенного и в результате — ко времени Куликовской битвы в Московскую Русь входили удельные княжества:

Так называемые «верховские», общим числом шестнадцать, которые были скорее независимы, чем зависимы от Москвы на тот момент, и на ее стороне принимали участие в Куликовской битве.

Самые значительные из них:

Карачаевское.

Козельское.

Звенигородское.

Новосильское.

Тарусское.

Не завоеванием, так покупкой, интригами в Орде и династическими союзами к 1380-му году Москва всосала в себя княжества:

Коломенское.

Переяславль-Залесское.

Можайское.

Угличское.

Половину Ростовского.

Серпуховское.

Юрьевское.

Дмитровское.

Костромское.

Галич-Мерьское.

Стародубское.

И кой-чего по мелочи.

Здесь надо еще заметить, что удельные княжества могли возникать и исчезать каждые несколько десятилетий или даже лет. В зависимости от того, выделял ли князь сыну город с округой, или удельное княжество по смерти князя делилось между наследниками на мелкие уделы, или Великий князь отбирал удел и сажал туда своего наместника, или передавал на короткий срок в кормление кому из приближенных.

Так что точный перечень княжеств — с примечаниями, кому и на каких правах принадлежало — возможен только на конкретный день. С чем у историков иногда имеются затруднения, переходящие в споры или пожатия плеч.

В жесткой зависимости находились подчиненные княжества:

Белозерское.

Ну и само Великое Владимирское, давно уже принадлежавшее князьям Московского дома.

Вот, собственно, и все.

...Вот эти княжества, от средних до очень мелких, и послали полки, пришедшие с Дмитрием на Куликово поле. Вассалы.

Кто еще был за московского князя?

Ну — а кроме подчиненных? Кто еще сплотился в битве?

Нижегородско-Суздальское великое княжество. Общипанное после передряг «великой замятни», но самостоятельное.

Ярославское княжество.

Княжество Смоленское. Его уже обкорнали и Москва, и Литва; Брянск, Можайск, Вязьма в него на тот момент не входили. Сорока годами ранее Смоленск отказался платить Орде, и Москва с Рязанью при поддержке татарской конницы, как водится, Смоленск покарали и привели в чувство.

Все?

Все.

Нейтралы

Нельзя сказать, чтобы все русские княжества вот так объединились для борьбы с проклятой силой темною, татарскою ордой. И лично лидером ее товарищем Мамаем. Некоторые остались в стороне. А именно:

Огромная и богатая Новгородская Республика.

Псковская республика.

Устюжское княжество.

Муромское княжество.

Враги

Великое княжество Рязанское.

Великое княжество Тверское.

Вот они Москву просто ненавидели. Москва постоянно с ними воевала, пытаясь захватить, поглотить, присоединить, аннексировать.

Тверскому князю то давали ярлык на великое княжение, то после московских интриг отбирали, то казнили одного в Сарае по обвинению в отравлении жены Юрия Московского, Кончаки, сестры хана Узбека.

Рязань просто жгли и разоряли раз за разом.

Вот так расширяется держава!

И все православные. И у всех священники и молебны. И для всех благо земли русской и народа превыше всего. И все объявляют руководство намеченного к захвату княжества — извергами, преступниками и нарушителями священных обычаев и законов.

И нет смертельней ненависти, чем к кровному соседу.

Литва

А вот и главное государство, враждебное Великому княжеству Московскому. Великое княжество Литовское, Русское, Жемайтское и прочая. К 1380 году оно было несравненно больше, многочисленнее, сильнее и богаче Московского. Включало в себя, кроме прочего, практически всю Киевскую Русь — старые и славные княжества:

Киевское.

Черниговское.

Галицко-Волынское.

Полоцкое.

Витебское.

Новгород-Северское.

Курское.

Брянское.

Переяславльское.

Поскольку княжества постоянно переходили из одних рук в другие, соединялись, упразднялись и выделялись вновь, враждовали друг с другом и вступали в союзы — то проще перечислись земли и города Литвы:

Вильно

Минск

Орша

Могилев

Гродно

Белгород

Луцк

Житомир

Полтава

И так далее.

(На сегодняшней карте — почти вся Украина, вся Беларусь, Литва, восточная часть Польши и западные области собственно России.)

Да Литва стала просто крупнейшим по площади государством Европы. (На тот момент — более 700 000 кв.км.)

Главный язык — русский, вера — православие, народ — славяне. После Батыева нашествия соединялось из разрозненных княжеств. Одни входили из выгоды, другие подчинялись силой. Свой уклад все сохраняли.

Великие князья Миндовг и Гедемин титуловались королями и Европой признавались именно КОРОЛЯМИ РУССКИХ.

Авторитет Гедемина был настолько высок, что потомки его гедеминовичи почитались в русских княжеских домах как вторые после рюриковичей.

К 1380 году правил Литвой его внук Ягайло, сын Ольгерда и тверской княжны. А тверской князь Дмитрий Грозные Очи (ее племянник) был женат на сестре Ольгерда (допреже того). То есть родня была ближе некуда.

Что касается дани монголам, она же налог в Орду. То платили, то нет. Южные княжества до вхождения в Литву платили, а потом обычно переставали. Литва обычно не платила, но годы перед Куликовской битвой что-то отстегивала Мамаю.

Баланс русско-литовский

Вопрос: а Литва что, не понимала, что война с Московской Русью, то бишь с Великим княжеством Владимирским, а равно Суздальским или Тверским — это война с улусом Орды, вооруженный конфликт с огромной Монгольской империей? В Литве жили самоубийцы или сумасшедшие отморозки?

Или в Орде снисходительно относились к тому,

что Литва пытается присвоить часть их территории и их доходов?

Или в Орде господствовали двойные стандарты: против немцев мы московитам поможем, а против Литвы — пошли на хрен, пусть сами разбираются?

Заметим: княжьи потомства ветвились, как кусты. Претензий на каждый удел было — хоть конкурс проводи (что и бывало). Прошлые обязательства накладывались на позапрошлые и часто противоречили нынешним. То есть княжества переходили из рук в руки при солидном юридическом обосновании. Не говоря уж о силовом.

Пока Орда была в полной силе, Литва особо на рожон не перла. Подбирала что плохо лежит. И в случае предъявления претензий — платила в Сарай налог с присоединенных территорий. Стараясь не спешить, пока не напомнили.

Но когда пошла «великая замятня», сил у Орды на московско-литовские конфликты часто не хватало. Под шумок русские рвали куски друг у друга. Расширение Москвы Орда приветствовала как расширение экономической и политической базы. А помогала от случая к случаю, как удавалось. Но — ничего не забывала. Память у монголов была отличная.

После поражения в 1362 году у Синих Вод монголы относились к Ольгерду всерьез. Но и Ольгерд, победивший на отлично выбранной позиции и значительным перевесом сил, монголов уважал. И возможной битвы с татарами на голом месте под Москвой, что выгодно для конницы, да еще если в тыл ударит вышедшее из стен Москвы войско — такой битвы он, опытный полководец, принять не мог.

Ордынским фактором отчасти и объясняется поспешное отступление Ольгерда от Москвы в 1368 и 1370 годах. Превосходящими силами стремительно подошел, силы Дмитрия Московского во встречных схватках разбил, Москву осадил. И через несколько буквально дней стремительно покатился восвояси.

Да, Москву защищали новые каменные стены. Так по всей Европе и Азии были каменные стены. Что, великие вояки литовские крепостей в своей жизни не брали? Осад не вели? Осадную технику в глаза не видели? Или дома кофе к завтраку уже перекипел?

Все они видели. И из всего, что видели, меньше всего им нравилась монгольская конница. Которая покрывала на марше полтораста верст в сутки и вызывалась Москвой во всех особо затруднительных случаях. Вот нежеланием сталкиваться — во чистом поле да на чужой земле — с этой конницей и можно объяснять стремительные возвратно-поступательные движения литовского войска. Вместо основательных разборок кампании велись в ритме набегов.

Чума

Пандемия «черной смерти» через несколько лет после европейского пика разразилась и на Руси. В 1352–53 гг. массово умирали в Пскове, Москве и других городах. В самой Орде все произошло несколько ранее.

Уменьшение населения естественно влекло за собой уменьшение совокупного налога — платили «с дыма», с хозяйства то бишь, с семьи, типа подушно.

Поскольку население восстанавливается медленно, то еще много лет великие князья мотивировали снижение собранных средств снижением численности подданных.

Хотя за полвека после аннексии Руси татары провели на ее землях впервые в истории две переписи населения, а позднее держали в княжествах «численников» для подсчета людей и хозяйств — чума явилась удобным предлогом для «оптимизации налогов». «Численнику» можно дать взятку. В Сарае можно задарить нужных людей, поклясться всем святым в истинности своих цифр — и откорректировать план в сторону реальных возможностей. (Как все и всегда...)

Входящий в трудности Мамай уменьшил налог вдвое! Меньше платить стали.

Подходим к главному вопросу

И вот теперь, как-то определившись хотя бы в основах, можно приступать к пониманию.

То есть. Вместо набора ходульных пропагандистских штампов типа «единство», «освобождение», «патриотизм» и «самоотверженность» — попытаемся понять смысл происходящего на реальном уровне.

Ни в коем случае нельзя отрицать значение патриотизма и любви к свободе! Но необходимо понять: каков был экономический и политический механизм действий? В чем заключались причины и следствия? Что, собственно, такого произошло, что люди оставили семьи и дома и пошли массово умирать в кровавой сечи? Что им грозило?

Неужели причиной Куликовской битвы было только нежелание платить ордынский налог? Больше ведь татары никого не притесняли, религию уважали, в обычаи и отношения не вмешивались.

И более того: покровительство Орды было благотворно для великого князя. Ты с ними только ладь, льсти раз в год, сдавай налог и дари подарки. А за это — дери деньги с мест и себе. Кто тронет — вызови татарскую конницу и обидчика покарай. Внешнюю угрозу Орда отразит с тобой вместе — она защитит свой улус.

Рекрутов вот иногда поставлять надо. Так это и ничего. Во-первых, лично к князьям это не относится. Во-вторых, богатые и знатные откупятся. В-третьих, сдачей сына в войско Орды можно грозить людям неприятным. В-четвертых, в войске люди карьеры делают, тут татары справедливы и ценят личные заслуги.

И в-пятых — еще Александр Ярославич Невский с помощью именно монгольской конницы отмахался от ливонцев и прочих немцев, сохранив полную независимость православной церкви и отеческие традиции всего жизненного уклада. Что и определило историю Руси на все будущие века.

Так чего это стряслось, что выступили резаться с татарами? А ведь немцы еще сильны. «Дранг нах Остен» так и прет. Под этими не забалуешь, они демократии не понимают. С кем против них обороняться?

А за Белой-то Ордой — Синяя, а за ними и Тамерлан, Улус Чагатая, Улус Угэдэя, Уйгурия, Китай — едва не весь мир стоит за Ордой, великая империя. Ты на ней — одна из малых окраин.

Или вы полагаете, что при великокняжеском дворе не было карт и никто не знал географию с арифметикой?

Тохтамыш

Тохтамыш, чингизид и законный наследник престола Золотой Орды, появляется в нашей истории весной 1380 года. За ним стоит вооруженная и политическая поддержка Тамерлана, и «Великая замятня» кончается. После нескольких лет многократных попыток и поражений упорный Тохтамыш побеждает всех соперников и претендентов. Въезжает в столицу, Сарай-Берке, и торжественно объявляет миру, что явился новый хан Орды, великий и законный. Справедливость восторжествовала, и чтоб никто не сомневался.

Это произошло в апреле 1380.

Вопрос. Известит ли новый король, генсек, президент или хан граждан своего государства, что теперь правит он? Идиотский вопрос. Иной образ действий даже не предусмотрен. А под лидером функционирует весь административный аппарат. Через чиновников осуществляется связь с народом. Народ быстро информируется обо всем необходимом.

Итак — первое. Через неделю после въезда Тохтамыша в Сарай-Берке, в апреле, Великий князь Владимирский и Московский был об этом официально уведомлен. Монгольские гонцы везли указы со скоростью 300 верст в сутки. А Москва — весьма ценная и значимая провинция.

До Мамаева побоища оставалось пять месяцев.

Дальше. Чего надо хану от великого князя?

а). Подчинения. б). Денег. в). Людей. Иначе какой вообще смысл «владеть» провинцией.

С деньгами все ясно, власть новая, казна пуста, а война — удовольствие дорогое. А что касается людей — война-то не кончена.

Потому что Мамай, поседевший и заматеревший за двадцать лет беспрерывных боев и походов, совершенно не собирался вот так запросто позволять сидеть в Сарае очередному авантюристу и честолюбцу. Много он таких пацанов перевидал, и все они быстро переселялись на Небесные Пастбища обсудить нюансы политики с душами предков.

А Великая Яса предписывала уничтожать противника до полного искоренения, чему равно следовали новый хан и старый беклярбек.

То есть. Да шли бы эти русские на хрен вместе с обитателями прочих улусов! Это все — нормальные тихие граждане. Ну, бузят иногда, так ведь это в природе людей. Людьми надо уметь управлять-то. Но! Главное — что? Тохтамышу необходимо разгромить и убить Мамая. Потому что он наглый самозванец и вечный смутьян, убийца и заговорщик. А Мамаю потребно ликвидировать Тохтамыша. Потому что наглый Тохтамыш опасен и амбициозен: за ним Тамерлан. А рулить в Орде должен он, Мамай. И сейчас вполне удобное время — после нескольких лет войн и поражений молодой хан еще слаб и неукоренен.

Вот друг другом Мамай и Тохтамыш и интересуются. И каждый понимает — другой его в покое не оставит. Пока не зароет — не успокоится. Вопрос жизни и смерти.

Да подите вы со своей Москвой!!! Денег и людей дайте — и чтоб я о ваших русских больше не слышал, пока не освобожусь от дел!

То есть. Война с Москвой Мамаю сейчас была и на фиг не нужна.

Мамай хотел царствовать из Москвы?!

А? Говорите — занять Москву, пока Тохтамыш чешется? Во-первых, монголы чешутся быстро; во-вторых, ослабленного битвой с русскими Мамая Тохтамышу сразу после этого будет легче добить; в-третьих, уцелевшие русские князья с остатками дружин побегут к Тохтамышу — помогать ему резать захватчика Мамая; в-четвертых — Тохтамыш мгновенно пойдет на помощь к русским, чтоб вместе придушить Мамая.

Вы Мамая за дурака держите? Он этого не понимал? Хотел из Москвы царствовать? Что? — а-а,

Олег Рязанский писал письмо Ягайло: присоединимся к Мамаю и оторвем свой кусок от Московии. Значит, это Олег дурак? Полста лет сохранял Рязанское свое княжество среди пяти огней и беспрерывных опустошений — а здесь лопушок-лопушком лажанулся? Ах, это не подлинник письма, это кремлевская газета цитирует сто лет спустя, в смысле летопись, простите. Ну так газетчики вам еще не то процитируют, даже и не столетней давности. Жаль покаянное письмо Березовского Путину не процитировали.

Царевы борзописцы исторически обосновали, что Москва справедливо и правильно захватила Рязань и всосала в себя Рязанское княжество — а потому что оно было подлое, коварное, предательское и русофобское, хотело кормиться от Крымского Госдепа, которым Мамай руководил. Вело протатарскую политику и предавало национальные интересы. Вот. Вы историю-то с идеологией не путайте, батенька.

А зато теперь Москва и народ рязанский — одна братская семья. Мы освободили их от фашистской власти их жидолитовскотатарских князей.

Летописцы за умеренную мзду вам еще не то напишут! И закричат, что это гарантированная журналистам свобода слова.

Ниже мы к этому письму еще вернемся.

А что нужно Москве?

Москве логично выждать: пусть новый хан и старый Мамай разберутся промеж собой. А там, в зависимости от результата, мы изберем линию поведения. Чего ради сейчас-то кровь проливать?

Если Мамай победит нас — сплошные потери и убытки.

Если мы победим Мамая — понесем потери, ослабеем, а Золотая-то Орда останется в неприкосновенности — и будет по-прежнему рулить нами.

В любом случае наша драка с Мамаем на руку только новому хану.

Вы что же думаете, на Руси княжили и боярствовали плохие политики, не понимавшие сути событий? Да они выживали в таких условиях, где нынешних лидеров XXI обвели бы вокруг пальца, перехитрили сто раз и сожрали живьем, предварительно обобрав до нитки! Вот только не надо высокомерия, дети расслабленной толерантной сытости.

Чего просил Мамай? Денег! Много ли? А просил налог вернуть на прежний уровень с вдвое сниженного. Да и не платили, кажись, с 1374 года. Так побойтесь же вашего Бога, дайте хоть чего-нибудь.

Что в таких случаях делают? Реструктурируют долг всеми способами. Клянчат, обещают, клянутся, платят сразу «все, что можем» — это смягчает отношение. А там, глядишь, уконтропупит оборзевшего беклярбека кореш грозного Тамерлана, и дальше платить не надо будет. В смысле новому хану заносить придется — будем решать проблемы по мере их прихода.

Вот если победит Мамай Тохтамыша — тогда посмотрим, когда и сколько платить. А пока откупимся минимумом и будем тянуть резину.

То есть. Совершенно незачем было лезть в страшную сечу.

О независимости

Ну, разобьем мы Мамаеву Орду. И что — Дикое Поле заселим, или Крым подчиним, или на Астрахань пойдем? Золотая Орда все равно останется —

и укрепится! Территории Мамаевой Орды вернутся в нее по закону. Золотоордынский хан станет сильнее и могущественнее. И будет Московская Русь под ним — а как еще?

Хан же уже известил нас, что под ним ходим. Может, на фиг его послать? Избави Боже! Вырежет не сейчас, так когда силенок подкопит. Причем — князей-то мятежных со всем родом искоренит. И помощнички сразу набегут, сапоги вылижут, все желания исполнят, своих же русских порежут без жалости. И посадит он на княжение новых покорных исполнителей. После того, как пройдет огнем и мечом по землям нашим. Вот спасибо.

А нельзя ли разбить и Мамая, и Тохтамыша — сразу? Или хоть по очереди? Гм. Да.

А вдруг Тохтамыш испугается нашей силы и к нам не полезет, если мы разобьем Мамая?

Функции психиатров оспаривали тогда друг у друга лекари и священники — с этим вопросом к ним, пожалуйста.

История как идеология

Куликовская битва как борьба за независимость — это красиво. Это гордо. Патриотично. Но странно... Нелогично, не умно, не получается.

Нет, это сильный, благородный аргумент — «и хотя еще сто лет проклятое татаро-монгольское иго продолжалось, но была сделана попытка, которая показала, объединила и приблизила час освобождения». Такое ощущение, что избранные фрагменты древнерусской истории писались в Идеологическом отделе ЦК КПСС. Или наоборот — эмбрион ЦК КПСС зародился в глубокой древности...

Выходит типа: подавление революции 1905 года

предопределило три срока президентства Путина. Те же сроки, продление одного политического вектора...

Когда историк-патриот испытывает затруднения со смыслом, он заменяет смысл пафосными метафорами. Пытаться заглянуть под них в суть дела — цинично и неприлично, типа прилюдно задрать подол народной героине.

Мы уже говорили, что человеку необходима самоидентификация — индивидуальная и групповая. История народа и страны — это групповая самоидентификация крупного масштаба. В объеме народа и на пространстве веков человек хочет осознать себя как часть своей страны. Ответить себе и другим на вопрос: кто я и каков в веках и миллионах соплеменников, чего сто́ю и чем вправе гордиться?

Повторим: характеризуя себя, человеку свойственно приукрашиваться. Геройское выпятить, неважнецкое спрятать. Так его подсознание работает: человек даже себе самому привирает самоуважения ради. Это называется: поднять планку претензий. Больше из себя мнишь — на большее замахиваешься — возможно, большего и достигнешь. Это закон природы, понимаешь.

А когда врет историк — это социально-групповое завышение самохарактеристики. Это тоже закон природы. Чтоб народ больше гордился собой, больше приписывал себе подвигов — и замахивался на бо́льшие свершения в настоящем и будущем.

Поэтому любая история народа, написанная им самим, комплиментарна. Начиная с древнейших надписей: блестящую победу в одной и той же битве египтяне приписывают себе, а хетты — себе.

И когда не сходятся факты, историк может написать, что объяснения этому пока нет. И пропасти между фактами замазать речами о героизме, патриотизме и любви к свободе.

Вот это и есть «фольк хистори» — исторические мифы для масс, долженствующие воспитать в народе патриотическую гордость и национально-оптимистическое мировоззрение. Ибо сознание рядового человека требует именно такой мифологии. Чтоб уважать себя как носителя замечательных качеств прославленного в веках народа. И это требование идеальным образом совпадает со взглядами государства. Что гражданин должен быть национально гордым патриотом — ибо взыванием к национальной гордости его можно заставить терпеть страшные лишения и совершать ужасные порой действия. Что иногда и требуется правительству.

Кажется, мы повторяемся...

Двойная суть истории

Но есть ничтожный процент людей, которым нужна правда. И они роют, пока не дороются. Чтобы все сошлось и нестыковок в истории, хоть в одном ее маленьком участочке, не осталось.

Толпа, она же масса, она же простой народ, их ненавидит. За попытку опорочить идеалы. За недостаточно патриотический образ мыслей. За то, что они вообще враги.

Потому что история для масс — это всегда идеология. Это не информация — это символ веры. Отрицающий мой символ веры — мне чужак, враг, изгой. Ибо социум стремится к единству. И единство взглядов и представлений — основа основ единства социума. А без единства он не существует — есть лишь аморфная разношерстная толпа. А толпа не пригодна к созданию и развитию культуры, цивилизации, прогресса. Поэтому — структурированный социум, единая идеология, организованное развитие.

Ложь тоже необходима для генерирования правды. Диалектика, понял?

Так вот, фомы неверующие, скептики и изгои, нонконформисты, все проверяющие на зуб и на излом, роют правду. И это тоже необходимо. Правда истории — это обратная связь социальной системы с окружающей средой. Знать, каковы были реальные реакции социума на реальные вызовы среды — необходимо, чтобы адекватно анализировать обстановку и впредь принимать верные решения. Без исторической правды система дегенерирует и идет вразнос, ссыпаясь в гибель дребезжащими обломками.

Миф необходим народу, чтобы уважать себя.

Неприятная правда нужна народу, чтоб сбившись с пути не свалиться в канаву истории и там не сдохнуть.

А вдалбливание истин в голову есть единственный способ превратить их в убеждения, потому что самостоятельно масса все равно не понимает ни истин, ни опровержений!

Так что извините за повторы...

Предвоенные вопросы и ответы

Выгода для Тохтамыша борьбы Москвы с Мамаем очевидна. Так давайте зададим себе несколько элементарных вопросов.

Мог ли Дмитрий не известить законного хана о том, что собирается вступить в войну с его злейшим врагом?

Нет. Не мог. С чего бы.

Мог ли Тохтамыш быть против?

Глупый вопрос. Нет, не мог. Мог сказать: «Якши урус! Молодец русский. Помогай тебе твой бог».

Мог ли Тохтамыш сказать: «Мне все равно, делай как знаешь»?

Какое же «все равно». Очень даже не все равно.

То есть Тохтамыш мог только одобрить такую инициативу?

Бесспорно.

С учетом опыта Мамая, его многочисленных побед, упорства, живучести, его не раз проявленных военных и политических способностей — в интересах Тохтамыша было пустить дело на самотек — или же посильно поспособствовать его уничтожению?

Дерьмо вопрос. Враг моего врага — мой друг. Или как минимум временный союзник. Как минимум партнер в полезном для меня деле. Разумеется, для упрочения своей власти и необходимого уничтожения Мамая Тохтамыш поможет любому его врагу перегрызть мамайскую глотку.

Как должен был поступить Тохтамыш, когда на его законный улус посягает враг, соперник и самозванец?

Защитить улус и уничтожить врага.

А если улус сам намерен защищаться?

Усилить его, помочь, обеспечить ему победу.

Ладно, еще, дальше: а как лучше бить врага — совместными силами, обеспечив себе перевес — или порознь, вводя против его превосходящей мощи свои части по отдельности?

Тоже ерунда. Банальность. Конечно, надо собрать максимум сил и средств и ударить по врагу, собрав их в единый громящий кулак.

Так логично ли было Тохтамышу помочь Дмитрию? Или объединить для грядущей битвы свои войска с его (формулировка тут не важна)?

Ответ — только утвердительный.

То есть. Полагать, что на поле Куликовом рядом с русскими не сражались против Мамая золотоордынские бойцы — противоестественно. Тем паче что для Сарая русские были такими же золотоордынцами, как все прочие населявшие государство народы: хоть булгары, хоть половцы, хоть мерь и мордва, хоть кто.

Тем паче, что уже полвека и более жило в собственно Московской Руси немало татар, переселившихся с юга ради сохранения доисламской веры предков. Многие вступали в браки с русскими, их дети и внуки нередко переходили в православие; а некоторые и раньше были христианами арианского и несторианского изводов, ну так со временем различия между ними и православными стирались естественным образом.

То есть. Московская Русь и Золотая Орда воспринимались как родня не только политическая, но и этническая. (Отсюда пошла огромная Российская Империя, ставшая позднее Советским Союзом и в конце распавшаяся на основные улусы, но не вовсе вдребезги.)

Орда была феодальной федерацией. Может, так нам будет понятнее.

На Куликовом поле федерация противостояла сепаратистам. Переворотчикам.

И центр помогал регионам сохранить законный порядок.

Вопрос только в том, сколько золотоордынских войск было на поле Куликовом, и в чем конкретно заключалось их участие в сражении. Тут документов нет. Можно только искать в письменных памятниках косвенные указания, соотносить разные сведения, пытаться применить знание эпохи и включать логику политических и военных действий.

Опять же, необходимо делать поправку на идеологизацию русских источников: себя возвысить, прочих затенить. Это вещь обычная, постоянная.

Время и место

Монгольский всадник всегда готов к бою. Кони и оружие при нем, в еде он крайне неприхотлив, а постоянную организацию мужчин по десяткам, сотням, тысячам и туменам никто не отменял. Мамай был мобилен. Сбор войска требовал нескольких дней. А там — росла бы трава для коней, и монголы всегда готовы к походу и бою.

Это во-первых. А во-вторых, как мы помним после недоброй памяти подготовки к Великой отечественной войне — врага надо бить малой кровью на его же территории.

То есть. Если Мамай решил покарать, ограбить и ниже нагнуть Русь. Ему следует держать свои планы втайне, доколе возможно. А затем, собрав кулак, стремительно пойти на Москву, давя сопротивление.

Вместо этого мы видим картину иную и даже обратную. Дмитрий успевает узнать, что Мамай не просто готовится к войне, но успел уже заключить военный союз с Литвой и Рязанью. Готовится, то есть.

Далее. Подготовка серьезной военной кампании для страны землепашцев и городов — огромная и небыстрая работа. Надо не только оповестить, но многих еще и убедить. Надо не только подготовить княжьи дружины в уделах — они-то всегда готовы — надо собрать ополчение. А безоружных как-то вооружить: оружие-то дорого. Кузницы работают круглосуточно, часть оружия закупают на стороне; перед войной его всегда не хватает.

Надо организовать материальное обеспечение войска в походе: войско прожорливо, а должно быть сытым, бодрым и сильным. Надо озаботиться обозами: лошади, телеги, упряжь, веревки, мешки, бочонки, ездовые наконец. Все просчитать и распределить.

Надо проложить маршрут и наметить стоянки. Удобное место, вода. Надо назначить людей, отвечающих за продовольствие, за повозки с лошадьми, за разбивку лагеря на стоянках — каждой дружине свое место отвести.

Это все очень сложно — и необходимо! Чтобы десять, скажем, тысяч человек утром могли быстро справить большую нужду, перекусить и двинуться в путь — нужны отхожие места обширные, костровища и котлы.

Так что если русские войска собрались в Коломне ко второй половине августа — готовиться начали никак не позднее июня. Скоро только сказки сказываются.

А кстати? Даты даются по старому стилю, а по-новому — к 1 сентября собрались, а битва случилась 21 числа. Почему такое время? Что это значит? Случайность — или дату с умыслом выбирали?

Да потому что 1 сентября — уборочная кончена! Хлеб сжали, зерно сложили, главная полевая страда завершилась, до следующего урожая есть чем кормиться. К бабке не ходи! — иначе и быть не могло. Главнокомандующий обязан с древнейших времен учитывать сезон, погоду — и готовность населения к мобилизации, воздействие мобилизации на экономику страны. А оно может быть разрушительным: врага разобьешь — а страна дух испустит в разорении.

Мамай должен был пойти на Русь в июле, к жатве. Со всей неожиданностью и скоростью. И каждый пахарь держался бы за свое поле: не уберу — семья зимой с голоду помрет. А князья были бы покладисты: голод — это разорение удела, людишки перемрут — князь обеднеет; а княжеские амбары народу не откроешь — Мамай что не вывезет, то сожжет...

Так что время сражения выбирали русские.

И место выбирали русские. У юго-западной оконечности Рязанского княжества, на краю Дикого Поля и территорий собственно Мамаевой Орды столкновение и состоялось.

Союзники или симулянты?

Итак, русское войско поспешило навстречу мамайскому, чтобы не дать врагу соединиться с рязанцами и литовцами, а ударить по нему, пока он без союзников. Такова официальная версия.

Слова «стремительно», «быстро», «поспешно» и т.п. здесь достаточно условны. От Коломны до Куликова поля примерно 200 километров по дорогам. Учтем разные изгибы и маневры — это 250. Скорость пехоты на марше не изменилась с древнейших времен — 40 километров дневной переход. Итого от Коломны до места — 6 дневных переходов. Сбор в Коломне всех войск назначался на 15 августа. 20-го, вроде, собрались.

То есть. Или шли по 15 километров в день, еле-еле. Или тронулись в путь только 2 сентября, проваландавшись в Коломне больше двух недель. Ни то, ни другое невозможно охарактеризовать словом «стремительно». Собрались себе спокойно и пошли без спешки.

Переправились через Дон и сожгли за собой мосты. (Сколько было мостов, каких, и вообще где это точно происходило — ученые не пришли к единому мнению до сих пор. Да и Дон в тех верховьях речка небольшая, для наглядности вспомним.) 7 сентября были на месте.

И вот тут все дружно начинают пороть чушь. А именно:

Где-то юго-восточнее, совсем рядом, стоит рязанское войско. До него не то 25, не то вообще 10 км. Но соединиться с Мамаем оно не успело, и в битве участия не приняло.

То есть москвичи притащиться из Коломны успели — а рязанцы перейти собственную границу не успели. У этих историков-летописцев не ум, а стальной капкан.

А где-то юго-западнее, тоже совсем рядом, стоит литовское войско. До него километров 25, а может и все 40. Но оно тоже не успело соединиться с Мамаем и участия в битве не приняло.

Как же блестящему полководцу Дмитрию Донскому удалось навязать врагу бой до его соединения с почти подошедшими подкреплениями? С гениальной простотой. Мамай сам на него бросился!

Тут все историки чуть заминаются, чуть вздыхают и признаются: почему Мамай не дождался соединения со столь близкими союзниками — «трудно объяснить». Что значит «трудно»?! Практически невозможно!

Расстояние до союзников — час конному гонцу, максимум два. Приказ — идти форсированным маршем. А самому отступить на столько, чтобы оттянуть сражение на день. В контакт с противником не вступать! Для этого не надо быть опытным и талантливым полководцем, для этого достаточно не быть клиническим идиотом. Вон Кутузов от Наполеона до самой Москвы удирал, и ничего, отлично получилось.

Объяснений может быть только два.

Или никаких союзников там не было.

Или никакие они были не союзники.

Второе гораздо вероятнее, и более подтверждено письменными памятниками. Вроде, пишут, были. А вот каковы были истинные замыслы этих бывших — это дело темное. Пропаганда прекрасно умеет скрывать и искажать даже замыслы живых современников, чего ж там требовать от седой древности.

Что-то сильно не чисто с этими «союзниками». Чего хотели, зачем пришли, о чем вообще думали?

Злосчастная Рязань

Для начала надо учесть, что Рязань была Великим княжеством. Ее князь получал ярлык на великокняжение от Орды. Сам собирал налоги с уделов и сдавал в Орду. И юридически был абсолютно равноправен с Великим князем Владимирским, Московским то бишь.

И Рязань отстаивала свою независимость, а Москва отхватывала от нее куски. Ту же Коломну, построенную рязанцами на своей земле и исконно Рязани принадлежавшую, себе отобрала.

Когда шесть веков спустя историки рассуждают, что Рязань не понимала прогрессивной необходимости объединения Руси — это все равно что в XXI веке укорять бывшие советские республики, ставшие независимыми государствами, что для общего блага им надо отказаться от независимости, принять правящую верхушку российских чиновников и жить общим домом по законам и приказам Москвы. (Вы думаете, что при князьях не воровали и не брали взяток?..) Ну, если кто лишится должностей и бизнеса, если кому заткнут рот, если деньги начнут вывозиться в центр — это ничего. Зато объединение! Переживут потомки смутные времена и кровавых царей, а в светлом будущем и счастье ненадолго настанет.

Потомки-исследователи бывают удивительно тупы и глухи к боли и чаяниям предков, хотя сами готовы убиваться из-за протекшего потолка.

Рязань была древнее Москвы и упоминается в летописях не XII, а XI веком. И столицей княжества стала куда раньше. Рязань была ко времени батыева нашествия несравненно больше, богаче и влиятельнее ничтожной тогда Москвы. Площадь города превышала 60 гектаров — это без посадов! Три кремля было в городе, защищенном стенами.

Расположенная на границе Степи, Рязань оказалась на направлении главного удара Батыя. И защищалась отчаянно, и была взята многодневным штурмом, вырезана и сожжена.

И воспряла, поднялась, отстроилась.

И сейчас вы не желаете даже учитывать гордость рязанцев своей родиной, своим городом, своими предками, плодами трудов своих? Для вас пустой звук их приверженность своей трехсотлетней независимости, оплаченной кровью прадедов? Ничего не значит их право и желание жить самостоятельно под собственным князем? Они бараны, которым можно сменить пастуха и загон?

Или вы полагаете, что лечь под Москву — это типа независимый штат войдет в демократическое государство Соединенных Штатов Америки? А садистские казни Ивана Грозного — это не важно? А превращение своей родины в административную область обще-Московского государства — это не важно?

Какое объединение?! Москва — жадная, коварная, хваткая, все под себя гребет. А большинство русских княжеств — в Литве, либо от Москвы шарахается. Оставьте нас в покое с вашими планами, походами и властями — мы сами привыкли управляться со своими проблемами. А от вас, москвичей, кроме зла ничего не видели. Кроме грабежа и насилия. Спасибо за вечную идею объединить ограбленного с грабителем.

...Объединение Руси по методам было бандитскими разборками. Каждый бандит копил силы, набирал сторонников и заручался поддержкой старшего авторитета. Каждый бандит хотел нагнуть и обязать другого. Стать бригадиром, а там и рулящим.

Можем ли мы осуждать бандита, что он не хотел лечь под более удачливого бандита? Можем ли мы осуждать граждан самостоятельного (хоть и вассального) государства, что они стремятся сохранить свою идентичность, остаться самими собой то есть?

...Идея централизации сродни идее создания колхозов. Крупные хозяйство вообще более эффективны. А государству колхозы были необходимы — чтоб перекачивать средства из сельского хозяйства в тяжелую промышленность и создавать вооружения, необходимые для победы в будущей войне.

Только вы это объясните крестьянину, у которого отбирают корову, двух лошадей и весь инвентарь, а самого с семьей ссылают в тундру, потому что он кулак, а кулачество мешает созданию колхозов. Объясните ему, что идет объективно полезный процесс.

А если крестьянин достанет обрез и пристрелит энкаведешника — погодите требовать расстрела для врага народа.

Ишь ты. Рязань им предатели. Следователи-патриоты на наши головы.

Кому Рязань союзник?

Не везло ей. Ее разоряли и жгли и москвичи, и татары, и вместе, и по отдельности.

За год до побоища, в 1379, Рязань разграбил Мамай. Любовь и дружбу таким образом действий заполучить трудно, согласитесь. То есть. Теоретически Мамай мог склонить Рязань к союзу угрозами. Из такого союза бегут при первой возможности. Тогда можно предположить, опять же чисто теоретически, что в случае победы Мамая Олег Рязанский мог бы подключиться к избиению москвичей. Но прежде подождать результата. Нет победы Мамая — нет ему и помощи: о будущем думать надо, победоносную Москву лишний раз не раздражать.

Но учтите: за Дмитрием Московским стоит Тохтамыш. Кто знает, каков будет новый хан. Но то, что он враг Мамая — это хорошо. От Мамая одно зло.

Когда две мощные соседние державы затевают войну — между собой, но рядом с тобой, и на твою землю война очень даже может прийти — каков образ действий нормального государства? Оно объявляет мобилизацию и приводит в боевую готовность свои вооруженные силы. На случай агрессии. Посильно защититься. Прикрыть страну. Кто знает, какие союзы могут сложиться завтра, благоприятные для тебя. И вообще если ты скалишь зубы по-волчьи — на тебя поопасаются лишний раз нападать.

Важная и принципиальная деталь. Куликово поле, мы сказали — на границе Рязанского княжества. А войско рязанское — у себя дома! Границу прикрыло со стороны концентрации чужих войск. А если кто у себя дома — какие к нему претензии?

Мало того. Русские войска шли на битву через территорию рязанского княжества. Так их же никто пальцем не тронул! Это не похоже на враждебные действия союзников Мамая.

Фактически — Рязань придерживалась в этом конфликте вооруженного нейтралитета. И выводить войска за свои границы не собиралась. Хотела бы — так вывела. Что ей Москва, что Мамай — чума на оба ваши дома, им только бы под себя пригнуть. Рязань могла хотеть от Москвы и Мамая только одного — чтоб они обнялись и утопились.

...Но на обратном пути рязанцы грабили обозы с ранеными, возвращающимися в Москву через рязанские земли, напрямик то есть! И кое-кого в плен забрали, и держали год — пока Олег Рязанский не подписал с Москвой договор о дружбе, признав Дмитрия главнее, и обязавшись пленных возвратить. Как враги, значит, себя вели!

Джентльмены, международные вопросы требуют детального рассмотрения, особенно в условиях непрекращающихся конфликтов.

Отношения Москвы с Рязанью были крайне деликатными. Недаром русские войска шли к полю Куликову не напрямик через рязанские земли — а обходя их аккуратно по самому краешку. И Великий князь приказал — чтоб ни один волос с головы рязанца не упал! То есть: никаких провокаций и поводов к конфликту.

Проход через чужие земли всегда как-то согласуется политически и юридически. Сколько людей пройдет, чем будут питаться, как долго на чужой территории останутся, может — плату за это возьмут с транзитников, может — услугами обменяются. Княжество — не проходной двор, знаете. Была ли какая-либо договоренность Москвы с Рязанью? Не знаем. Либо да, либо нет. Если нет — рязанцы имели право протестовать против таких незаконных обозов через свою землю; а поведение солдата-победителя в чужом краю — сами знаете.

И еще два вопроса.

Первый: кто конкретно грабил? Кого вы можете опознать из присутствующих? Если дружинники по приказу князя — это недружественные действия государства; это граничит с вооруженным конфликтом. А если шайки разбойников — тут уж ничего не поделаешь. Где война и трофеи — там мародеры и грабители. Да из леса, да с гиканьем, да ночью, да рожи страшные. Эти и своих пограбят, и чужих, одно слово — воры. Поймаем — казним.

Заметьте: русским достались груды ценного добра, Мамай бросил ставку и лагерь; деньги, платье, посуда, оружие, много чего там валялось на поле и в окрестности. Есть чего грабить.

А также: чужих раненых можно из ненависти перебить. Но на кой черт было рязанцам снимать их с телег и оставлять у себя в плену? Кормить-поить, расходоваться на них. Странно...

Вопрос второй: если рязанцы были врагами — кто ж пускает беззащитные обозы с добычей и ранеными через вражеские территории? Или рязанские шпионы устроились в московское интендантское управление? Значит, Москва считала Рязань не друзьями, так нейтралами.

Девять лет назад войска Дмитрия разбили рязанцев, и князь Олег на два года лишился престола, который сумел вернуть. Удачный поход всегда сопровождался грабежом и угоном пленных. Что присвоили москвичи у рязанцев? Каких ремесленников, строителей, оружейников к себе забрали? Да уж московские летописи конечно молчат.

...Через год после Куликовской битвы Олег Рязанский заключит мир с Дмитрием Донским, признает себя «младшим братом» (но с сохранением всех прежних прав) — и вернет пленных. Про возвращение награбленного — ни слова. А пленные — это кто, бывшие раненые? Или еще стычки были, но в летописи не попали? А может, по этому договору, который закреплял за Дмитрием старшинство «первого среди двух равных», стороны обменивались пленными — «все на всех» или еще как? Может, и Москва кого-то Рязани возвращала? А записывать для потомков это не стали, чтоб Рязань более наклоненной выглядела?

А как вообще Москва терпела, что Рязань держит ее пленных — это же состояние войны?

...За решительным недостатком прямых фактов приходится строить теорию и реставрировать реальность, экстраполируя факты косвенные. Если ты знаешь обстановку целиком, понял ее суть — ты принципиально правильно можешь объяснить любую деталь, если она логично и правомерно уложится в общую картину.

А если достоверная деталь не желает укладываться в логику общей картины — переписывай картину, она неверна.

Так что никаким союзником Мамая и врагом Москвы Рязань себя не проявила. Никаких враждебных действий не произвела.

(И якобы Олег Рязанский умысел имел антимосковский и с Ягайло сносился. За умыслы не судят. Умыслы недоказуемы. Обвинение в умысле есть способ очернения. А задним числом слова можно приписать любые кому угодно. В наши-то дни пропаганда клевещет на живых и искажает историю раз за разом у нас на глазах.)

Литва как лучший друг татар

Когда два мощных соседних государства проводят мобилизацию и собираются воевать — что делать третьему пограничному государству, у границ которого собирается гроза? Естественно, оно тоже проводит мобилизацию.

Когда два соседних государства концентрируют все свои вооруженные силы близ границ третьего — где этому третьему держать свою армию? Естественно, прикрыть свою территорию со стороны возможной угрозы, возможного удара.

Когда у твоих границ однозначно назревает война — ты действуешь на ощупь согласно предположениям — или твоя разведка работает до седьмого пота, собирая информацию о действиях соседа и возможного противника? Да уж конечно стараешься узнать о действиях беспокойного соседушки все, что возможно.

Таким образом, наличие и расположение литовского войска у... — а где, собственно, оно находилось?

От Куликова поля до литовской границы — около 60 километров. Не может же быть изучение битвы не привязано к карте. Хотя давно спорят, где именно была битва и даже была ли вообще — но вот как-то забывают обратить внимание на такие мелочи, как что там рядом находилось и кто там где жил.

Стояло ли литовское войско в 40 км или в 60 — уже никто никогда не узнает. Но факт — что оно расположилось или на своей границе — или отойдя от нее на один дневной переход. В любом случае это называется — прикрыть свою территорию со стороны угрозы. Шаг абсолютно естественный.

Так что вариант первый — Литва вообще не собиралась ввязываться в чужую свару.

Вариант второй. Политический расчет. Если Москва побьет Мамая — он ослабеет, а и она временно ослабится, потеряв людей. Если Мамай побьет Москву — он потеряет людей и ослабится, а она тем паче. Любой вариант Литве выгоден — так чего лезть в драку? Чего ради?

Стравить грозных соседей — мечта любого политика.

Если Мамай победит и Литва получит часть московских территорий — в Орде, вроде, сел серьезный пацан с крутой крышей, и потом придется воевать с ним за то, что откусил от его улуса. Когда Москва восстановит силы — она вместе с ордынской конницей будет воевать с Литвой за отобранные территории, и неизвестно, чем это кончится.

А продолжит Орда слабеть в усобицах — сами заберем что хотим.

Москва с Мамаем вступала в военный союз не раз, и вместе они громили непокорные Москве княжества. А ну как они здесь договорятся и совместно, общей силой, двинут на Литву? По деньгам договорятся, а за счет Литвы возместят убытки и еще прибыль останется. Это не есть невозможно.

Литве доводилось бить москвичей и татар — но по отдельности. А против них вместе — можно не устоять.

Стой в стороне и держи порох сухим. Нечего Литве соваться в эту гнилую затею.

Карта местности

Если взглянуть на карту — Куликово поле находится там, где приордынская степь вдается на север небольшим языком между Литвой и Рязанским княжеством. И вот после уборки урожая, мобилизовав все войска, москвичи самостоятельно движутся в эту ловушку между враждебной Литвой и враждебной Рязанью. Идут сами в этот мешок. Навстречу татарам, которые замкнут окружение с третьей стороны. Суют голову в щипцы для раздавливания орехов.

Это можно трактовать трояко.

Или московские князья сошли с ума.

Или страдали злостным пространственным идиотизмом.

Или были предателями, которых подкупили внешние враги.

Четвертый вариант: Литва и Рязань на тот момент как враги не рассматривались.

Тайна дипломатической переписки

Но как же! В летописи перешло цитируемое письмо Олега Рязанского к Великому князю Литовскому Ягайло. Какая радость, какой шанс, великий царь Мамай идет на Москву — давай к нему присоединимся, а он нам города там раздаст за помощь, и будет нам хорошо, и от Москвы избавимся, и с Мамаем дружить будем. Такова суть.

Вот оно — доказательство враждебного нам союза!

Это письмо мы уже предоставляли суду, ваша честь.

У защиты есть вопросы? Найдутся, ваша честь.

Первое. Подлинник письма есть? Нет. Я так и думал.

Второе. Откуда и как письмо попало в летописи? Никто никогда не узнает. Тоже логично.

Третье. Мы объявляем фальшивкой «Завещание Петра I» — а Запад цитирует его как подлинник. Доказано, что «Протоколы сионских мудрецов» — фальшивка, но антисемиты убеждены в их подлинности. В СССР и России 70 лет твердят, что Фултонская речь Черчилля — это призыв и начало холодной войны, а прочитайте ее — это призыв не допустить войны, угроза которой появляется.

История вообще полна фальсификаций.

Кстати. Такие вещи бумаге не доверяют. Гонца могут убить, перехватить, подкупить, подпоить на стоянке. Это абсолютно секретная информация. И весьма опасная. Сохраненное письмо даже адресат может использовать против автора — обстановка меняется стремительно. Такие сведения особо доверенное лицо, предъявив полномочия, передает устно.

Так что. Или это «письмо» — позднейшая фальшивка, призванная очернить Рязань и Литву и обелить Москву, которая в конце концов их поглотила, вполне немилосердными способами. Чтоб, значит, объявить их виноватыми и плохими, а нас правыми и хорошими. Это нормально. Это единственно возможно. Какая же летопись напишет, что если мы кого-то разграбили и пожгли — это плохо, а если нас кто отпрессовал — это хорошо. Сами понимаете — ничего подобного. Наоборот, граждане.

Все, что делает наше государство по отношению к другим — это хорошо, полезно и справедливо. А другие по отношению к нам — русофобы и бездуховные стяжатели, мечтающие о нашей гибели.

Так что привет всем большой от Олега Рязанского, независимое и Великое княжество которого после многих войн было в конце концов подчинено, покорено и присоединено Москвой. Подлый предатель, понимаешь.

А и второй вариант. Что письмо это было правдой. Практические следствия были? А ответ, переписка — что, тоже не были? И что это письмо доказывает — что Олег ненавидел Дмитрия и хотел бы забрать его княжество? Ну, было за что ненавидеть, так это нам сейчас полстраны пересажать надо за ненависть к кому-то и желание этому кому-то всех мыслимых несчастий.

...Дорогие мои. Согласно газетам и протоколам все старые большевики во главе с Троцким были врагами народа и шпионами. А все хорошее сделал Сталин. И десятилетиями вся страна свято в это верила. А вы про какого-то Олега. Он чего вам плохого сделал? Писем любой дурак настряпать может.

На место!

Итак, переправились через реку и сожгли за собой мосты. А мосты — раньше были, по дороге шли? А та дорога, интересно, откуда и куда вела? Или мосты перед переправой плотники навели?

А жгли — чтоб не отступать? Или чтоб невидимые рязанцы в спину не ударили?

Героический пафос без реалистической аргументации должен вызывать у историка недоверие. Историк по натуре скептик. Он знает, что врут и очевидцы, и летописцы. Историк должен влезть в шкуру своих героев и увидеть мир их глазами.

Сожженные за собой мосты — устоявшаяся метафора. В истории войн такой поступок практически не встречается. Сам себе заградотряд за спину никто еще не ставил. Такие приказы отдавались из безопасного тыла.

А через реку продолжают движение только в наступлении. Планируя оборону, заслоняются спереди рекой от наступающего неприятеля. Переправляющийся враг — мишени для лучников. А когда он карабкается вверх по крутому, или топкому, или скользкому, или заросшему берегу — бить его сверху и скидывать обратно удобнее, чем драться на ровном месте.

Нет. Переправились — и на том берегу стали строиться в боевые порядки. (На те горячие головы, которые сейчас утверждают, что русские полки стали строиться к битве с вечера 7 сентября, мы внимания обращать не будем. Это лишь подтверждает, как безмозглы бывают описатели древних событий. А где люди будут ужинать и завтракать? Спать? Оправляться? Лагерь для ночевки и поле битвы — не одно и то же, и всем вменяемым историкам это прекрасно известно.)

Но что характерно: русские переправились — и стали ждать.

Дождались. Мамай приблизился и двинул войска в атаку.

Русские источники утверждают, что мамаевцев было вдвое больше. (Ну, русские источники и в XX веке утверждали, что у гитлеровцев всего было больше, чем у нас; а потом оказалось, что это у нас всего было больше — чего в два раза, а чего в шесть.) К таким сведениям нельзя относиться буквально — рассказы о военных подвигах сродни рыбацким байкам про огромных рыб.)

...И эта река за спиной, и это поле, которое с достоверностью так и не найдено, а где найдено поле — там не найдено ни малейших следов битвы, и эти литовцы с рязанцами, которые Мамаю союзники, а никак союза не проявили, и этот двукратный перевес врага, вскоре наголову разбитого — все это вселяет большие сомнения в степени правдивости наших знаний и представлений.

Но — що маемо, то маемо.

Поединок

Итак, два войска выстроились в боевой порядок друг против друга. И, по обычаю того времени, общему сражению предшествовал поединок богатырей. От монголов выехал на коне знаменитый поединщик, силач и великан Челубей. А от русских — православный инок Пересвет.

Единоборцы помчались друг на друга с копьями наперевес. Они сшиблись — и оба упали замертво.

Это героически. Это имеет символическую силу. Это впечатывается в память. Возбуждает в душе гордый патриотизм. В осененной славой веков сцене этой — блещет эффектная и трагическая красота.

Ни один художник не смог бы измыслить подобную сцену лучше, сочиняя роман. Она морально и эстетически безупречна.

И долг историка требует подтвердить ее реалистическую основу.

Итак.

Челубей. «-бей» — окончание имени характерное. «Челу-» — имя, «-бей» — титулование, обозначение статуса.

Никаких Челубеев нигде и никогда ни в каких источниках не упоминалось. А вот Тулук-бей, он же Тулун-бей, Тулун-бек, он же Тулу-бей или просто Тюляк — это тот парень ханских кровей, кого Мамай объявил недавно ханом взамен отбывшего свой срок в должности Мухаммед-Булака. Тот достиг восемнадцатилетия и попытался многовато на себя брать, вследствие чего скончался. У нашего Мамая не забалуешь.

После Куликовской битвы упоминаний о Тулук-бее нет. Либо вскоре Тохтамыш его добил вместе с Мамаем, как конкурента-самозванца, либо в бега подался; а либо же погиб на поле Куликовом. Хотя сбежавший Мамай своего карманного легитимного хана должен был беречь как сотрудника полезного и забрать с собой, сам-то ведь смотался, свою жизнь сохранять умел.

Вообще место хана — на командном пункте, ставка большого войска располагается достаточно далеко от передовой линии — но в сплошной рукопашной доводилось гибнуть и царям, это за милую душу.

Правда, разные источники называют Челубея также Челибеем, Темир-Мурзой или Таврулом. Мрак времен.

Но. В любом случае. Погибнуть в ритуальном поединке Тулук-бей не мог! Потому что Яса Чингиза подобные поединки строжайше запрещала. Уж полтора века как. И был такой поединок для монгола в 1380 году противоестественным — вроде бы как русский и немец в 1943 перед Курской битвой вышли с пистолетами на нейтральную полосу меж передовыми — дуэль устроить. Или поединок русского кавалергарда с наполеоновским кирасиром перед Бородинским сражением.

И вообще с тех пор, как за 300 лет до Куликовской битвы сложили былину о Мстиславе, князе Тмутараканском и Черниговском, который «зарезал Редедю пред полки касожские», никаких упоминаний о подобных поединках на Руси не было. Ну, не надо путать с рыцарскими турнирами.

Что же касается Пересвета. Инока (или послушника, эти статусы иногда совпадали, иногда нет, но конкретно — начальная степень монашества). Он был княжеского рода, или боярского, чем объясняется владение оружием до прихода в монастырь. Вообще оружие им брать в руки уже не полагается. Хотя, конечно, не исключены варианты.

Но инок — уже принял малый постриг. Ему брать оружие вовсе не полагается. Хотя были случаи, когда монахи обороняли свои монастыри.

Однако: чтобы монах уходил воевать — таких случаев больше не известно. Ни до, ни после. Только Пересвет и Ослябя.

Родословные их недостоверны и на реальные источники не опираются.

Описания поединка разнятся подробностями, но ни одно описание правдоподобием не грешит. Высокое литературное произведение. К нему нельзя подходить с меркой педанта и зануды.

Во-первых, конный копейщик всегда — всегда — имеет щит. Иначе бы они друг друга только на шампуры и нанизывали. И копье врага принимается на щит. Щит закрывает весь торс всадника. Над щитом — голова в шлеме, и только глаза из-под шлема смотрят. Копье или бьет по щиту вскользь, или бьет плотно в упор, и тогда от страшного удара в щит, принимаемый на корпус, можно вылететь из седла.

Почему не бьют в бедро, сравнительно открытое? Потому что если ты воткнешь копье в бок мчащемуся навстречу коню, то инерция летящей полутонной массы выбьет тебя самого, крепко зажавшего копье подмышкой и правой рукой — так, что улетишь неизвестно куда.

Так что нанизать друг друга на копья — это вряд ли. Доспехи на бойце — уж Бог с ними, пробить может. Но лобовое взаимное нанизывание двух незащищенных самоубийц — это, простите, напевы сказителя.

Дальше — больше. У Челубея копье было длиннее. Примерно на два локтя, а может больше. И Пересвет снял доспехи, чтобы копье Челубея вошло глубже! Сократить дистанцию. И тогда Пересвет дотянется до врага своим копьем — и поразит!..

Он остался в монашеской накидке, и копье Челубея легко вошло глубоко в тело, и Пересвет дотянулся и убил его своим копьем.

Простите за натурализм. Но если нужно сократить разницу в метр длины, то копье должно не только войти, но и выйти. И если ты, приняв в себя и сквозь себя острие и метр древка, нанес смертельный удар — копье в тебе и осталось.

Но. Тяжелое конное копье — с руку толщиной, в конце у острия — с запястье. И получив на встречном скаку метр такой оглобли в грудь или живот — продолжать сражение никак невозможно. Это не просто тяжелое ранение, несовместимое с жизнью. Это страшное поражение внутренних органов, сосудов и нервов. Да — ни одно оружие не убивает мгновенно (разве что разрушить некоторые зоны мозга). Но какую бы траекторию прохождения оглобли сквозь туловище ни представить — такое ранение лишает возможности нанести врагу смертельный удар.

А если они так летели друг на друга — что по инерции полумертвый уже Пересвет воедино со своим зажатым и направленным копьем продолжил движение — и за краткий миг достиг и поразил Челубея? Хоть сам и нанизался на копье врага.

...Что эти детали более всего напоминает? Смертельный поединок короля Артура с его сыном-племянником-врагом Мордредом. Артур пронзил Мордреда копьем, так что сажень древка вышла из спины — а Мордред нанизал себя на копье до самого кольца рукояти — и разрубил Артуру голову мечом. Оба умерли, да.

Учитывая, что а). «Задонщина» и «Сказание о Мамаевом побоище» были созданы около того же времени, когда появился цикл Томаса Мэллори о Короле Артуре, а вообще легенды об Артуре ходили и веками ранее; б). смерть обоих сильных противников в поединке — один из вечных бродячих сюжетов, — правильнее всего считать поединок Пересвета и Челубея мифом, легендой, поэтико-эпической сценой.

...А еще вариант — что Пересвет вернулся в строй, и только тогда уже умер. То есть ранен смертельно, но все же на копье его не нанизали.

А еще вариант: сшиблись враги, копья их разлетелись от страшного удара, и упали оба наземь замертво. То есть копья не пронзили тела. Ударились в преграды и разлетелись. Враги получили по страшному удару друг от друга, вылетели из седел и, потеряв сознание, умерли.

Более всего этот вариант напоминает расхожее описание рыцарского поединка на турнире. Обычное дело. Хроники, перешедшие в романы Вальтера Скотта.

Но. Такие турнирные копья — легкие, нетолстые, отчасти условные: это именно турнирное оружие, а не боевое.

Наконечники таких копий — в форме корон, подков, шайб, присосок: плоские наконечники, безопасные. Таким копьем можно выбить из седла — но нельзя поранить.

Рыцари на турнире — в тяжелых мощных доспехах. Турнирный доспех тяжелее и массивнее боевого: особое удобство и подвижность тут не нужны, главное — обеспечить максимальную безопасность поединщику.

Вот тут от прочного удара в щит или гребень наплечника копье могло и сломаться. «Разлететься» — это уже преувеличение, метафора, литературный образ действия. Копейные древка делались не из того дерева, чтобы разлетаться. (Да, были знаменитые случаи, когда сломанное древко расщеплялось, и острая щепка втыкалась сквозь прорезь забрала рыцарю в глаз. Но это — не «разлетелось»!)

Вот тут оба рыцаря могли удачно попасть копьем в противника — и оба вылетали из седла. Целью поединка и было выбить другого наземь.

То есть. Все эти турнирно-рыцарские штучки-дрючки к поединку Пересвета с Челубеем отношения иметь не могли. А описания похожи!

Судя по всему, знаменитейший в русской истории поединок относится к жанру героико-патриотической литературы. При попытках втиснуть его в рамки истории — он крошится, деформируется и разваливается.

Патриотизм — любой — вообще редко выдерживает испытание историзмом.

Функция Сергия Радонежского

Идеологическая функция Пересвета — в победном единстве русской идеи и православия. Роль Осляби при нем подобна контрагайке — подкрепляет:

что Пересвет не одинок, что за ним встанет второй инок и богатырь, благословленный святым Сергием Радонежским, велика земля Русская и обильна людьми и верой, сколько надо бойцов — столько и найдется, и за спиной каждого встанет помощь и замена на случай чего. Ослябя — это страховка и гарантия Пересвета, залог борьбы до победного конца.

А оба они — бойцовый, необходимо материалистический аспект главного духовного авторитета Руси — Сергия Радонежского. Велик и истинен наш Бог против идолов басурманских, и Сергий — типа не то чтобы пророка его, но все же фигура наиболее приближенная к Горнему Престолу.

То есть. Через постижения Сергия являет себя воля Господня. А через конкретные дела и указания Сергия реализуется замысел Божий.

Пересвет и Ослябя — персонификации этого замысла. С нами Бог! — и они зримое тому подтверждение.

А вы думали, идеологию родил Маркс? А уж до XIX века и умных людей не было?

Святой старец Сергий Радонежский благословил на святую битву Великого князя Дмитрия Московского и предрек, что наше дело правое, враг будет разбит, победа будет за нами.

Бог и князь, вера и власть, церковь и меч карающий — едины есть и заедино выступают.

Авторитет и воля Великого князя Московского подкрепляются авторитетом отцов церкви, его благословляющих.

А вот здесь пленку остановите пожалуйста! Дайте рассмотреть картинку поподробнее! Боже, сказали старуха и дочь... Вот здесь можно разобрать, что Сергий Радонежский князя Дмитрия ненавидел и ни на какую Куликовскую битву его не благословлял.

Ну-ну... А благословлял двумя годами ранее перед битвой на Воже, но и это сомнительно...

А что, собственно, стряслось? Сергий что, не любил Дмитрия?

Не то слово. Терпеть не мог. И было за что. Еще как было.

По порядку.

Великий регент

Предстоятель Русской Церкви, покуда она входила в состав Константинопольского Престола, титуловался митрополитом Киевским и Всея Руси.

В 1300 году резиденция митрополита переехала из теряющего свое значение Киева во Владимирскую Русь, и с тех пор размещалась во Владимире, либо позднее в Москве. Но титул сохранился прежний — митрополит Киевский и всея Руси.

А в Литовской Руси, выражаясь языком упрощенным, она же Русь Юго-Западная, возникали и переменялись свои митрополии, то зависимые, то вовсе независимые от «Киевской» — Галицкая митрополия, Литовская и т.д.

С 1354 по 1378, четверть века Русскую Церковь возглавлял митрополит Алексий. Боярского рода. Крестник Великого князя Ивана Калиты. Это был человек волевой, властный, умный и жесткий. При слабом и красивом Иване II Великое княжество Владимирское и Московское разваливалось, соседи оттяпывали города, бояре разбегались к ним на службу. В обстановке безвластия и многовластия митрополит фактически взял власть в свои руки.

В 1357 его лично приглашают в ханскую ставку: вдовствующая мать хана Джанибека надеется, что святой митрополит вылечит ей глаза. По версии менее официальной — его вызвали в надежде помочь тяжело больному хану Джанибеку. Русские летописи называли Джанибека «добрым». Далее: ханша выздоровела, Джанибек умер, Алексия встретили в Москве с триумфом.

Алексий лично привез подтверждения следующих прав. Церковь освобождается от всех видов налогов, даней, каких бы то ни было притеснений и насилий со стороны светских властей. Что? — вот ханский ярлык!

А еще он привез ханскую грамоту, утверждающую наследственное право московских князей на Великое княжение Владимирское. Это был переворот правил и представлений! Это право еще не раз будет оспариваться и отбираться конкурентами, но в конце концов утвердится.

А еще — он привез уменьшение ордынского налога! А вы думали, народ на улицах что праздновал — прозрение ханской мамы?

Да это вернулся просто отец отечества! Реальный правитель. Эдакий кардинал Ришелье, только куда более крутой и сложной эпохи.

М-да, и одновременно это был сильный удар по самолюбию и прерогативам светских властей. От начала христианства на Руси церковь стояла под княжьей рукой. Ну, более или менее. И создана-то она была, чтоб помогать княжьим интересам. Сама решала только собственные, церковные вопросы. И вдруг! Митрополит главнее князя! И не моги ничего с ним сделать! И не захочет — ни копейки тебе ни даст, и ничего не даст!

Гм. Про Римских пап мы не говорим. Но и православная церковь приобрела светскую власть выше, кажется, чем официальные светские органы. Баланс сил сместился, так сказать.

...И при малолетних сыновьях Ивана, воссевших Иване Ивановиче Малом и Дмитрии нашем будущем Донском, власть из умелых рук уже не выпускал. Тем паче что Иван Малый умер ребенком в 1364 при очередной вспышке чумы.

Алексий держал за загривок мальчонку князя Дмитрия, как собака несет в зубах щенка. И отпускать не собирался.

В конце концов, кто лучше его разбирался в политике и больше мог в ней?..

Он поставил своих епископов в Рязань, Ростов, Смоленск и – Сарай! (Столица Орды, огромный русский квартал, православные храмы: епископский сан подчеркивает значимость Сарая в жизни Руси.) Вот он-то, Алексий, работал на объединение державы. Он централизовал и обязал личной зависимостью от себя общую церковную структуру. Кадры решают все!

Во время очередной русско-литовской военной разборки 1359 Алексий отправился в Киев с посреднической миссией и был заточен Ольгердом; в плену держали! Так Мамай нашел средства, чтобы убедить Ольгерда освободить митрополита.

...И вот этот Алексий любимым учеником имел Сергия Радонежского. Видел единственно в нем достойного продолжателя. И готовил себе в преемники. И перед смертью благословил его и завещал свой сан.

Освобождение государя

Далее начинаются обычные странные нестыковки в летописях. Для анализа каковых нестыковок нужно звать не историка, а следователя и психолога в консилиум. Как экспертов по вывертам людских чувств и объяснений в неожиданных ситуациях.

Сергий отказывает любимому учителю. Не хочет быть митрополитом. Категорически.

Почему? А просто так. Летописи не вдаются в детали. Отказал — и все.

Ладно. Все бывает. Так кого же назначил Алексий тогда в преемники? Человек он был старый, около восьмидесяти, к смерти готов давно. И о таком важнейшем шаге, как передача огромной и сверхзначимой для страны власти, думал давно и основательно. Не мог не думать.

Нет! Не думал! Так умер. Сергий отказался — а дальше Алексия уже не волновало, кто там будет следующим митрополитом Всея Руси.

Не похоже? Но по письменным свидетельствам выходит так. Верите?

Хорошо — остались письменные намеки на еще один вариант завещания. Что Алексий написал «рекомендацию» Митяю — придворному гламурному попу Дмитрия, его духовнику, который гнулся и во всем ему угождал. Ну, по просьбе самого князя Дмитрия, который был заинтересован в хорошем и угодном ему митрополите. Правда, Митяй не мог быть митрополитом в силу малой образованности, низких санов и отсутствия монашьего пострига — но в два дня Дмитрий провел его через все процедуры и сделал архимандритом.

Да Дмитрий под Алексием пикнуть лишний раз опасался! Да власть Алексия больше его собственной, и связи, и авторитет! Не смеет он указывать Алексию, кому после него быть митрополитом! Тем более что и следов подобной «завещательной грамоты» никогда не было.

Алексий умер, и иерархи церкви сказали Дмитрию насчет Митяя большую фигу. Не пройдет эта позорная профанация. И объявили настоящую кандидатуру, свою: епископ Суздальский Дионисий. Вот, кстати, и почитаемый Сергий из Радонежа одобряет это мнение. А сам — ну не хочет, понимаешь, а ведь он у нас самый уважаемый!..

У Константинопольской патриархии было свое мнение. Она назначила преемником грека Киприана, митрополитствовавшего пока в Литве, в Киеве.

Дмитрий закусил удила. Митяя отправил в Константинополь на утверждение митрополитом. Присовокупил богатые дары, чтобы пролоббировать своего кандидата. А Дионисия посадил в темницу, чтоб не путался под ногами.

Опаньки! Неслыханно! Князь сажает за решетку архимандрита — за то, что тот выступает против его воли в церковных — не мирских! — делах. Да этот Дмитрий узурпирует права священнослужителей! Он грубо нарушает привилегии церкви, он оскорбляет иерархов!

О да, архимандритам было за что любить и благословлять Дмитрия. Можете себе представить.

Дионисию сторонники устроили побег. Митяя по дороге отравили товарищи по партии. До сведения Киприана довели, что в Москву его все равно не пустят. Московская депутация, чтоб уж не ездить зря, выбрала промеж себя замену покойнику — и за те же деньги протолкнула утверждение митрополитом переяславльского игумена Пимена.

Разъяренный Дмитрий Пимена по возвращении посадил, прибывшего Киприана позорно погнал вон, а Дионисий боялся показаться ему на глаза.

Надо же понять: Великий князь дожидался смерти своего опекуна и наставника, как освобождения! Он хотел сам, наконец, быть главным! Сколько можно терпеть: Алексий учил его жизни все детство, принимал за него решения, Алексий добился многих политических удач, Алексий был умнее, опытнее и авторитетнее. И самое нестерпимое — Алексию он был обязан самим своим великим княжением! С годами такого человека должностной властитель может только возненавидеть, только желать освободиться от него!

Я Великий князь! Я главный! Никто не смеет указывать мне! Никого не смеют почитать больше меня! Ни у кого не может быть больше заслуг перед отечеством, чем у меня!

...На лето-осень 1380 года вся эта история была в самом разгаре. Пимен и Дионисий хлопочут насчет Константинополя, непризнанный Дмитрием Киприан сидит в Литве. Сергий Радонежский — в своем монастыре. Московия — без митрополита.

Святой и его благословение

В свете вышеизложенного и давно происшедшего — какие чувства мог испытывать Сергий Радонежский к князю Дмитрию? Который плюнул на волю своего благодетеля Алексия, не позволил стать митрополитом Сергию и вопреки всем уважаемым церковным иерархам предназначил в митрополиты это угодливое ничтожество — Митяя?

Думает ли Дмитрий о благе церкви, которой столь многим обязан? Думает ли он о благе государства, к укреплению которого церковь столь добросовестно и неустанно прикладывает руку?

Неблагодарный, властолюбивый, несправедливый и нечестный человек.

Как христианин, Сергий не должен был желать Дмитрию сдохнуть и провалиться на свое законное место в Аду. Но умирали же хорошие люди от чумы, скажем... Сердцу любить не прикажешь.

Дмитрий нарушил закон о независимости церкви

от любых светских давлений и притеснений, привезенный из Орды великим Алексием вместе с законом о наследственном московском престолонаследии Великого княжения Владимирского.

А сейчас Дмитрий, согласуясь с интересами Тохтамыша, собирается войной на Мамая. А Мамай подтвердил законы Джанибека, защищающие церковь. А что скажет новый хан по этому поводу — это еще впереди.

Так с чего бы Сергию Радонежскому Дмитрия Московского благословлять? За какие такие его благие поступки и намерения? А и захочет ли Дмитрий к нему ехать? Святой старец независим и прям, откажется выйти к князю — и позора не оберешься.

...Вот и источники сомневаются и путаются. То ли это было двумя годами ранее, перед битвой на Воже. А то ли вовсе об этом не везде упоминается.

Двуликий Янус истории

Пропагандистский эффект союза власти земной и небесной люди понимали всегда. Вождь и шаман, фараон и жрецы, короли и церковь. Сделай послушной душу подданного — и его тело легче и готовнее подчинится твоим приказам.

Кого власть — того и вера.

А теперь вспомните собственную, российскую историю сравнительно недавних времен — последних ста и даже тридцати лет. Конкретнее — о дружбе и союзах видных людей.

1918 год — революцию сделали Ленин и Троцкий, а также Каменев, Зиновьев, Бухарин, Пятаков, Рыков, Свердлов и т.д. 1940 год — революцию-то, оказывается, сделали Ленин со Сталиным: по любому важному вопросу Ленин со Сталиным советовался. Им помогали рано умершие Свердлов и Дзержинский. Остальные — враги народа.

1922 год — Гражданскую войну выиграли Троцкий, Фрунзе, Блюхер, Каменев, Вацетис, Якир, Тухачевский, Миронов, Буденный, Ворошилов.

1940 год — ту же Гражданскую войну выиграли Сталин, Ворошилов, Буденный, Чапаев, Котовский, Щорс (три последние — два комдива и комбриг). Остальные — враги народа.

Главное сражение Отечественной войны, судя по частоте упоминаний и придаваемому значению: при Сталине — Сталинград, при Брежневе — Малая Земля, при Андропове — Карельские партизаны.

Фильмы о войне 1945–1985 гг.: в каждой роте — политрук, в каждом батальоне — замполит, они вдохновляют бойцов, а те поверяют им заветные мысли и сомнения. 2000–2015 гг.: вместо политработников — берущиеся откуда угодно священники, вместо комсомольцев и коммунистов — православные с крестиками.

Да что политика! 1937 год — проклятый царизм ненавидел и убил Пушкина. 2007 год — оказывается, Пушкин был придворный поэт, писал государственно-патриотические стихи, получал за номинальную должность большую зарплату из бюджета, а после смерти царь выплатил за него огромные долги, в карты Пушкин проигрывал десятки тысяч.

Берия! Палач, каратель, кровавый сталинский пес! Нет: умный руководитель атомного проекта, обрадовался смерти Сталина и хотел провести либеральные реформы.

В 1939 финны напали на СССР, Ленинград был в близкой опасности, отступить из Карелии за получение взамен втрое превышающих территорий в другом месте финны наотрез отказались. Ну, пришлось воевать. Другая трактовка событий: СССР хотел аннексировать Финляндию, сделать ее еще одной советской республикой, вот и напал, а финны сопротивлялись.

Академик Сахаров был враг СССР, придерживался западных взглядов. Нет: академик Сахаров был выдающийся патриот, жаждал счастья народу и поэтому был сослан тоталитарным правительством в глушь.

...Так что вы хотите от Сергия Радонежского и Дмитрия Донского, когда историю пишет власть и цензурирует власть? И если сегодня коммунисты демонстративно любят православие — вроде и не они священников расстреливали и церкви взрывали, воюя с религий — «опиумом для народа»? Если сегодня верный ученик Ленина Сталин объявляется покровителем церкви, который в войну храмы восстанавливал и икону вокруг Москвы на самолете возил?

Нет человека более бесстыжего и циничного, чем историк, по приказу начальства переписывающий очередную версию прошлого.

Ход сражения

Учитывая, что ученые точно не договорились о месте сражения, а есть лишь предположительно наиболее вероятное. Где, правда, не нашли следов такого сражения: никаких археологических артефактов за сто лет раскопов.

Учитывая, что все русские письменные источники (а других нет) говорят о двукратном примерно превосходстве врага. А цифры войск называют вплоть до невероятных (300 тысяч русских, 800 000 татар). Минимальная из оценок ученого сообщества — 10 000 наших, 15 тысяч врагов.

Учитывая, что абсолютно во всех — во всех! — описаниях героических русских битв врагов было гораздо больше. За исключением случаев, когда численность сторон вовсе не упоминается. И даже во всей советской литературе о Великой отечественной войне немцев в 41 году было больше, и автоматы у них, и танков много — а оказалось потом, что больше было наших, и техники куда больше было нашей, и били нас меньшим числом.

То есть не факт, что ихних было вдвое больше, чем наших. Это наша точка зрения. А ихняя вообще неизвестна. Может, все было наоборот: русских было вдвое больше, чем татар. Тогда и победа логичнее. Хотя героизм, с точки зрения летописца-патриота, уже не тот. Как бы ниже качеством. Летописец-историк — это рыбак, который выуживает из прошлого во-от такую рыбину! Чтоб все впечатлились.

Учитывая, что лишь сотня историков в огромной стране ответят вам, с чего поперся Наполеон в Россию, а остальные процитируют школьный учебник про захватчика; а выигранное Наполеоном Московское сражение у нас считается нашей победой под Бородином.

Учитывая это и массу другого — чего вы ждете от описания Куликовской битвы? Как можно верить описанию того, что произошло неизвестно где и неизвестно какими силами?

И продолжалась это судьбоносное сражение, по разным источникам, от двух часов до шести. Имеют место разные указания на время его начала и конца. Сходны разве что позднее утро и послеполуденное окончание, иногда смещающееся до раннего вечера.

Есть лишь наиболее распространенная версия, которую мы принимаем за основную и рабочую за неимением лучшего.

И вот здесь как раз к школьному учебнику добавить нечего. Татары пошли вперед, русские подались назад, но устояли, ударили из засады, обратили врага в бегство и разгромили.

Осталось только обратить внимание на некоторые детали.

Тактическое несоответствие

Мы уже упоминали. Русские стремились достичь Мамаева войска и дать сражение раньше, чем Мамай соединится со своими союзниками — Литвой и Рязанью.

Но стремились странно. Пришли и остановились. Стали ждать, пока Мамай к ним сам придет. А он, вместо того, чтобы дождаться союзников — бросился сам вперед на русских! Никаких союзников не дожидаясь.

Это несоответствие «спешки» русских, которые встали и ждали — желанию Мамая «соединиться» с близкими подкреплениями, которых он не стал ждать и рванул вперед один, без ансамбля. Это элементарное и вопиющее логическое несоответствие историков не смущает.

Историков не смущает ничто, кроме их непризнания, неиздания и неоплаты. Неправда!.. Историки отлично знают, что все это — история крайне мутная, полная недоказуемых и противоречивых версий...

Полководец Дмитрий Донской

Итак. Дмитрий отдал последние распоряжения. И свои княжеские доспехи дал надеть боярину — некоторые писали, что любимому боярину — Михаилу Бреноку (или Бряноку, разночтения неважны).

Доспехи великого князя должны были выглядеть роскошно и приметно. И шлем, и нагрудное зерцало, и наручи, и что там еще надевал Великий князь в битву — должно было быть самого высокого качества, дорогим и приметным. А более всего ценились доспехи испанские, итальянские, германские. Полированые, рифленые, с узором.

И сбруя на коне дорогая, изукрашенная. И стяг черный с золотом великокняжеский. И знатная свита кругом, с охраной и посыльными.

И на возвышенном месте стоят они все, ближе к центру и позади передовых порядков.

Короче, не перепутаешь начальство с подчиненными. Вот боярин Бренок и светился, изображая начальника.

И конь плясал под ним великокняжеский, Дмитрия конь. И стяг черный великокняжеский реял над ним.

Результат был невесел для и.о. Великого князя. Изрубили в капусту вместе со свитой. (Планировал ли Дмитрий отделаться от свиты — это отдельный вопрос. Но, похоже, остался без приближенных. Что, судя по всему, было вполне предусмотрено.)

Тактическая польза здесь налицо. Уничтожив штаб, ставку, командование, центр управления, татары должны решить, что победа практически одержана. Русское войско обезглавлено, руководства боем нет, координация действий нарушена, можно завершать разгром! Это причина для подъема настроения, некоторой утери осторожности и преждевременной уверенности в победе. Неверная оценка ситуации. Татары увлеклись, нарушили строй, втянулись в рассеивание, преследование и истребление врага!

И подверглись уничтожающему удару свежих частей в свой фланг и тыл. Сражение было проиграно — быстро и бесповоротно.

Что же Дмитрий? Был после битвы найден контуженым «под срубленной березой».

«После битвы» — значит, никто конкретно не свидетельствовал, как он рубился и был контужен и спешен.

«Контужен» — значит, не ранен. Характер и тяжесть контузии не уточняются. Но по ходу пришел в себя и вернулся к руководству.

«Под срубленной березой» — а кто, как и зачем ее срубил?.. И как он контуженый под березу попал? Заполз, закатился, затащили соратники, чтоб спрятать? Они же и березу срубили боевыми топорами, чтоб князя спрятать? Где время на это взяли? В жаркой сече! Откуда на поле боя срубленная береза?

В советской военной контрразведке Дмитрию задали бы такие вопросы, ответов на которые у нас с вами нет. Но вообще пахнет трибуналом. Самоустранение от командования в бою, утеря руководства войсками в бою, невозможность доказать свое поведение в бою, невольное или вольное уклонение от боя, отсутствие ранений как оправдания или смягчающих обстоятельств. Отказ от воинских знаков отличия чина и должности, отказ от исполнения своих прямых обязанностей. Это что?! Это расстрел под ближней сосной.

Это великий полководец.

Воля ваша — что-то тут нечисто. Что-то не так. Да нет в мировой истории подобных случаев! Ни одного! Ситуация неправдоподобная, неестественная и нигде более не встречающаяся. Головоломка.

Он спрятался? Ну, не верится.

Его отстранили от командования? Кто?

Но. Факты следующие. Он сберег свою жизнь. Вместо него был убит другой. Он не командовал сражением. Сражение шло само собой или им командовал кто-то другой. Он был спрятан до конца сражения, а после вернулся к своим обязанностям Великого князя.

Вообще это несмываемое пятно на биографии, если так разбираться в обстоятельствах. Но — у князей есть средства смывать с себя любые пятна. А то мы этого не знаем; насмотрелись!.. М-да: но осадок остается.

Безудельный князь Боброк

Победы без командира не бывает.

Но кто-то должен был командовать? О, этот извечный вопль: «Земля у нас обильная, порядку только нет; придите и володейте нами!» Где крепкая рука, которая возьмет нас за шиворот и заставит делать то, что нам же надо?..

Правда, есть точка зрения, что Россией правит Господь Бог — лично и без посредников, напрямую, так сказать. Вот и на поле Куликовом — все приготовили, а дальше положились на Него. А контуженый Дмитрий под срубленной березой потерялся.

Однако положительная — решающая! — роль воеводы Боброка отмечена всеми, и самым хвалебным образом. Именно он разместил за рощей засадный полк. И не позволил бывшему с ним серпуховскому князю Владимиру Андреевичу вступить в дело раньше времени. Проявил выдержку и точный расчет — а затем ударил в тыл увлекшимся и утомленным битвой татарам. Смял их, обратил в бегство, нанес поражение и рубил в погоне остатки их войска еще 20 (некоторые пишут — 50) верст.

Отмечается: перед началом битвы ее план составлял с Дмитрием именно он.

Внимание. Следующий шаг. Потом Боброк командовал. А Дмитрий нет. Командирская роль Боброка исход битвы решила. Командирская роль Дмитрия отсутствовала.

Командирская роль Дмитрия сводится к тому, что он составлял план вместе с Боброком. А еще бы он его не составлял! А кто у нас начальник всего?! (А также интересно: нуждался ли опытный и победоносный воевода в советах князя?)

Попробуем разобраться — кто он вообще таков и откуда взялся, Дмитрий Михайлович Боброк Волынский. Фигура странная и по всему загадочная. Средняя между русским патриотом и безродным космополитом.

С началом «великой замятни», в 1360-е годы, он появляется при дворе нижегородского князя Дмитрия Константиновича, и практически сразу становится тысяцким. (А тысяцкий — это не просто предводитель городского ополчения, это нечто вроде коменданта княжества по всему кругу вопросов, связанных с хозяйственной деятельностью и мобилизационной готовностью ополчения; а ополчение учитывает практически всех мужчин призывного возраста.) Тысяцкий — это в административной иерархии княжества второй человек после князя. Через него проходят оружейные и кормовые деньги, конский состав: он в одном лице военкомат, мэр и зампрезидента по административно-хозяйственной части.

А вот взялся новый тысяцкий неизвестно откуда! В исторических документах его происхождение не указано — одни гипотезы. Через двести лет составленная «Бархатная книга» — родословный сборник самых знатных русских фамилий — указывает Боброка Волынского с титулом князя. Но какой династии, кто папа, где его княжество и как хоть называлось — ни звука. Не было никогда на Волыни никаких Боброков.

Была на Волыни речушка Боберка и сельцо Бобрка — вот поэтому якобы прозвище владельца было Боброк. Нэ лызе! Во-первых — тоже догадки ученых, из пальца высосанные, в документах ни одного указания на это нет. Во-вторых: Дмитрий Михайлович — имя-отчество, Волынский — доменное имя типа Черниговский или Брянский, а Боброк что такое? Ни к селу ни к городу, уникальное погоняло, никто подобной конструкции в имени не имел.

Кстати — а что значит «Волынский»? Он что, Волынью владел? Ни Боже мой, в тамошних документах ни одного упоминания о нем. Странно все же! Тверской, Пронский, Можайский, Белозерский, Рязанский — все это, если с большой буквы, обозначение владельца упомянутой земли. А если с маленькой буквы — рязанский, тульский и т.д. — обозначение по месту проживания, по гражданству, так сказать. И «Волынский» нам — ни к селу ни к городу.

Но едем дальше. Боброк переезжает из Нижнего Новгорода в Москву, к Великому князю Дмитрию. Для справки — двоюродному брату Дмитрия Нижегородского: так сказать, имея рекомендацию близкого родственника. На повышение пошел. А исполнилось Дмитрию Московскому в те поры годам к двадцати. А Боброк был уже муж зрелый, ибо прибыл ко двору с двумя сыновьями.

Заметим и учтем, что реально править на Руси продолжал великий митрополит Алексий. Словом и делом старался крепить единство князей в плане их соподчинения кафедре, а тем самым и централизации вокруг Москвы (а через то, кстати, и блюсти верность Орде). Через единение духовное — к единству мирскому! Мир, порядок, вера и деньги. И такой шаг, как переход толкового тысяцкого из Нижнего Новгорода в Москву, на повышение, без его мудрого участия пройти не мог. Кадры решают все! Одна из ключевых рабочих фигур.

И этот вчерашний тысяцкий — человек с темным прошлом и без всякого собственного источника доходов, без кормления то есть, без родового имения. А и пожалованного имения у него нет — ни одного указания не сохранилось. Это что получается — одной службой кормится новый фаворит, тем жив, чем Великий князь его пожалует?

А Боброк с удивительной быстротой становится фаворитом. Выдвигается из среды бояр, в которую введен. Проявляет себя талантливым военачальником, становится великокняжеским воеводой.

В это время происходит военная реорганизация Московского княжества. Отчасти — милитаризация властной вертикали. Княжья дружина и двор с боярами и многочисленной челядью усиливаются как регулярная основа всех вооруженных сил. Невозможно и предположить, чтоб подобная реформа проводилась без серьезного участия опытного военного администратора и удачливого полководца, каковым являлся Боброк. А для чего иначе звали его к себе на службу?

Мощный аккорд: Великий князь выдает за Боброка свою сестру! Вот так штука: Великий князь Владимирский и Московский породнился с кем-то неродовитым, бедным, невесть откуда взявшимся. Братцы, так не бывает. Князь выдаст сестру только за равного себе — или на одну ступень ниже. Но только на одну! Чтобы — одно сословие, родной уровень престижа, чтобы рядом с собой на пиру посадить; из своей корпоративной среды, короче. А Боброк кто? Да почти никто!

Заслуги заслугами, победы победами, но боярское возвышение Боброка необъяснимо. Так же, как его княжеский титул: анализируя источники, историки пришли к выводу, что князем его называли как бы в быту, по жизни, из уважения, подчеркивая его роль и значимость, а строго подходя к статусу и титулу, никаким князем он все же не был.

Зато воевал блестяще!

В 1371 разбил Великого князя рязанского Олега, что обошлось Олегу в пару лет без великокняжеского стола. С трудом вернулся мечом и интригами.

А в 1376 это он водил войско на Волжскую Булгарию, где разбил эмира Хасан-хана и содрал с поверженного эмирата 5000 рублей.

Через три года пошел походом на временно враждебное Брянское княжество и оторвал от него кусок земель с городами Трубчевск и Стародуб.

И когда Великий князь Владимирский и Московский Дмитрий заключал договор с Великим князем литовским Ольгердом, то первым в списке боярской делегации, целовавшей крест от имени Дмитрия, был указан именно Боброк.

А теперь немного истории. После 1313 года, когда хан Узбек в приказном и обязательном порядке ввел ислам, многие монголы, от простых до высшей аристократии, подались на север, часто на Русь. Сохраняя свою веру. В бога Неба Тенгри и весь пантеон. Мы уже говорили.

Немного внутренней политики. Со времен Владимира Крестителя на Руси, принимая иноверца на службу, его всячески склоняли к крещению. Не православный — значит, не свой. Хороший, полезный, а все равно не свой; не родной; полностью тебе доверять нельзя. (Это лишь Петр I изменил). Часто вступление в православие было просто условием вступления в должность.

И плюс к этому браки, которые были, как мы понимаем, исключительно церковными венчаниями, а что ж еще. Чтобы православные на русской земле, женясь или выходя замуж, принимали тенгрианство — таких случаев не зафиксировано. А вот монголов, ради женитьбы принимавших православие — полно.

Немного ономастики. При крещении новообращенный нарекался христианским именем. А если был знатен — то и отчеством. (Так София Августа Фредерика стала Екатериной Алексеевной.) А если совсем надо знатность подчеркнуть — прибавляли доменное имя (или его вымышленный эрзац): Иван Иванович Енисейский, Алексей Дмитриевич Залесский и т.п.

Немного исторической лингвистики в связи с ономастикой. Имени «Боброк» вообще не существует, прозвища такого нигде не встречается, а попытки объяснить его значение не более убедительны, чем вывести происхождение русских от этрусков на основании сходного фонетического оформления (был и такой бред).

Но. Имя «Бабрак» — вполне нормально для ряда тюркских языков, восходящих к общему пратюркскому и глубже — к алтайскому праязыку. К алтайской семье и монгольский с маньчжурским относили. У булгар, хазар, казахов и других имя Бабрак было обычным, и не только у них. Это сейчас оно типично в арабском или пушту, а тысячу лет назад языковые ветви были менее дифференцированы.

Немного народной этимологии и обрусения имен. «Пиджак — спинжак» — это понятно. Рома — Рим, Ниппон — Япония, Иоанн — Иван, Мариам — Мария. Хельги — Олег, Ингвар — Игорь, Вальдемар — Владимир. Айвенго — Ивангое. Бабрак — Боброк. «Бабрак» — слово бессмысленное, и в языке не укоренено никакими частями ни в каких смыслах. А язык этого не любит — на объективном уровне. Вот «Боброк» — тут бобр, рок, оброк, бок, бо-бо: не надо смеяться, фонемы и их сочетания имеют в языке самостоятельную семантическую нагрузку. Так сказать, семантико-ассоциативный ряд.

...Как только вы назовете его Бабраком — все встает на свои места, перемешанная мозаика сразу собирается в цельную картину, и необъяснимые факты получают естественное объяснение.

Знатный татарин, принявший православие на русской службе. А что — мало таких было? Да полно.

И когда он оказывается нойоном, влиятельным в своей среде богатым и родовитым человеком, крестившимся при вступлении в должность — снимаются все несоответствия. Имущество монгола — движимое, откочевывает он со своим скотом, со стада и кормится. А притеснять его на Руси не станут — себе выгоднее дружить: Орда рулит, захочет — с тебя спросит, а он — человек полезный. А мест для пастьбы скота хватало покуда.

И дадут ему по службе село в кормление согласно чину. И пожалует князь оклад денежного содержания при вступлении в должность. И окрестят торжественно, и имя дадут подобающее.

Но почему «князь Волынский»?

Вообще в это самое время князем Волынским был Любарт, сын великого Гедимина. Его родственником Боброк точно не был, и ничьим он вообще родственником не был, кроме собственных потомков. Ну, и жен с их родней.

Во. Из Нижнего Новгорода Боброк прибыл в Москву с двумя сыновьями. Из текстов не возникает вопросов насчет законности их происхождения. Тогда: а мать законная где? И кто?

Вскоре Боброк женится на сестре Дмитрия. Стало быть, прошлая жена умерла; вдовец был.

Появляется в истории Боброк сразу в должности тысяцкого. А про жену тысяцкого — ни слова. С ним с самим-то неразбериха.

Тысяцкий на дворовой девке или безродной селянке не женится. И если мы проявим сватовские способности и женим его на девушке из приличного рода с Волыни — это будет для нас идеально.

Этого нельзя ни доказать, ни опровергнуть.

Да может Боброк просто сначала в Литву поехал на работу устраиваться. Не очень там все срослось. В Нижнем лучшее место предложили. А он уже с женой.

А и приехал с Волыни — еще не волынец. Монгол вообще человек вольного кочевья, живет где хочет и переезжает когда нравится. (Приехавший в Москву из Киргизии русский или кореец — еще не киргиз.)

Берем весы — взвешиваем. Гораздо вероятнее знатный крещеный татарин на литовской и русской службе — чем бедный-худородный то ли князь, а то ли кто, женившийся на сестре самого Великого князя и ставший первым boяриным двора.

Дорогие мои. Ну понять же надо, учесть же надо. Это же было сословное общество. Князю — княжье, смерду — смердово. Социальные лифты практически не работали. Происхождение человека играло огромную роль. Происхождение должно было соответствовать занимаемому месту. Нет происхождения — нет даже амбиций, претензии на должность и статус бессмысленны.

Статус человека определялся его происхождением. Необходимая знатность Боброка бьет в глаза из всей его карьеры. Но с Волынью эта знатность никак не увязывается.

А вот ежели какой захудалый удельный князь сбежал с Волыни от реформ Казимира III Великого, последнего Пяста. Когда Волынь переходила от Литвы к Польше и обратно. И нашел приют тот князь в Суздале или там в Нижнем Новгороде. И имя его исчезло в веках. А дочь вышла за Боброка. Ах, вот тогда бы все сошлось ну тютелька в тютельку. И князь не князь, и Волынский не Волынский.

Ну нигде и никогда среди князей Волыни — Волынских — не упоминается никакого Боброка!

Не, ребята-демократы, кроме знатного татарина, крещеного и с кем волынским породненного либо на Волыни побывавшего — ничего путного у нас не получится.

Татарские европейцы

Начнем с того, что сам Мамай по «этническому происхождению», как сказали бы сейчас, являлся вероятнее не монголом, а кипчаком, то есть половцем.

Из кого состояло Мамаево войско? Сплошь татары? Отнюдь. Тюрки с монголами изрядно к тому времени перемешались.

И фряжские полки Мамая не дают покоя исследователям. Вообще «фрягами», «фрязью» на Руси называли европейцев; хотя скорее не всех, а южных европейцев. Конкретнее Мамаеву войску приписывали отряды генуэзских арбалетчиков.

Кто тех арбалетчиков видел — неизвестно. Но — «есть такое мнение».

Генуэзцы уже второй век владели крымским побережьем. Каффа — Феодосия — была крупнейшим портом и торговым центром. Согдея (Судак), Ялита (Ялта), Луста (Алушта) — все это были города Генуэзской Республики.

А контролировал Крым Мамай, то являлось одним из улусов Мамаевой Орды.

Летопись вообще перечисляет: «И еще к тому рати понаимовав Бесермены, и Армены, и Фрязи, Черкасы, и Ясы, и Буртасы».

Просто интернациональный контингент. Монголы-с. Идея наднационального, над-отеческого государства.

Русские татары

Летописи отмечают ордынского царевича Серкиза, он же Секиз-бей, прикочевавшего на Русь с войском, стадами и всем прочим. Был окрещен Иваном и наделен угодьями и селениями от Великого князя. Одни пытаются написать ему смерть на Куликовом поле — но большинство полагает его сына Андрея Серкизовича коломенским воеводой, который командовал в той битве татарской конницей сторожевого полка, и вместе с ней там полег.

Чтобы не вдаваться в подробности, из которых все являются спорными, отметим бесспорное. Что татарская конница была тогда лучшей в мире, лучше русской в том числе. Что осевшие на Руси татары в случае войн воевали именно конными, а не пешими. Что при объявлении общей мобилизации татары, граждане Московии, в стороне оказаться никак не могли.

Засадный полк решил судьбу сражения. Засадный полк был ударной силой. Засадный полк был конным, «налетел яко вихрь». Из кого должно состоять элитное конное формирование? Из лучшей конницы. Это кто? Да они же. Татаро-монголы.

А почему же об этом не написали?! Кто — русские? Чтоб написали, что судьбу битвы определила татарская конница? Сейчас. Они что, с ума сошли. А где тогда противостояние своих против чужих?

Наши — против не наших. Это как? Это русские против нерусских.

То есть. Ордынских записей об этой битве не осталось. Равно и литовских. А русские написать такого не могли ни при какой погоде. Особенно полтораста и двести лет спустя, когда составляли историю своего героического прошлого. Каковая история несла идеологическую задачу: обосновать и возвеличить идею объединения Руси вокруг Москвы. Что и происходило в процессе противостояния внешним врагам.

То есть. Было бы странно, нелогично, ошибочно, противоестественно, если бы ударный резерв под командой лучшего и старшего военачальника, должный решить исход сражения — состоял бы не из лучших, отборных частей. И если бы среди этих частей не было татарской конницы.

История не бывает антилогичной! История не бывает непонятной — она бывает только непонятой.

Если в условиях сильного дефицита фактов у вас выстраивается из имеющихся фактов стройная версия, обладающая абсолютной объясняющей силой — не торопитесь отрицать ее. Попробуйте поискать недостающие факты, которым полагается находиться на месте пересечения построенных линий.

Но. Даже если их никто не обнаружит. За далью веков и тысячелетий. Это не отменяет логичной, закономерной, все объясняющей и цельной картины.

Ибо коллаж из склеивания фактов, которые не стыкуются и не могут объяснить общую картину происшедшего — не может отражать истину.

Историк подобен все тому самому Жоржу Кювье, который по обломкам нескольких костей восстанавливал облик ископаемого животного. Ибо создал общую теорию сравнительной анатомии и палеонтологии.

Если историк не владеет теорией государства, социологией, политологией, экономикой и психологией, а прежде всего логикой — он, строго говоря, не историк. Он собиратель фактов, он готовит почву для будущего историка.

Упаси Боже — это я не о себе, я даже не историк, я так, вышел подышать воздухом, и слегка надуло из Москвы 1382 года. А подбираться к этому году пришлось долго, простите уж, что по всем ухабам трясусь.

...Да, так я еще хотел сказать: а что, это возможно, чтоб Тохтамыш не помог русским прикончить Мамая? Чтоб не прислал подкрепление от себя — и уж разумеется конное? Глуп был? Вряд ли.

Отсутствие татарской конницы у русских в Мамаевом побоище не представляется сколько-то вероятным. А вот неупоминание о ней позднейшими русскими летописцами — представляется очень вероятным, логичным и закономерным. Помощь союзников мы привыкли замалчивать.

Да была ли эта битва?

Одни ученые считают, что сражение произошло при впадении Непрядвы в Дон. Другие — что близ истока Непрядвы из Волова озера. Одни — что на левом берегу, другие — на правом. Третьи — что между истоками Дона и Оки, перекрывая так называемый Муравский шлях. Что характерно — ни в одном из предполагаемых мест археологи не нашли следов, подтверждающих факт сражения.

Объяснения выдвигались от сложных до оригинальных: скажем, в черноземах там столь активен обмен элементов, что все кости просто растворились в земле.

Есть ученые, которые полагают, что Мамаево побоище и случившаяся двумя годами ранее битва на

Воже разлеплены надвое век спустя малоинформированным летописцем (официальным историком) и описаны как две разные, а на самом деле это была одна кровопролитная и победная битва. Там Мамая и разбили. И поэтому на Куликовом поле ничего нет.

А другие считают, что битва при Калке 1381 года, когда Тохтамыш окончательно разбил Мамая — это и есть та битва, которую на Руси назвали Мамаевым побоищем, а уже гораздо позднее наименовали Куликовской битвой.

Излагать столь зыбкие факты, ограничиваясь вместо серьезной системы газетно-идеологическими лозунгами — по меньшей мере несерьезно. «Просто так решил пограбить» или «Просто так решил захватить» — от своего злодейства и силушки молодецкой — это для викингов и абреков. Даже колонизаторы имели серьезный, системный комплекс причин.

Вот только на моем кратком веку нам столько лгали об истории сегодняшней и вчерашней, что думать всегда приходится самому.

Что можно считать фактами

1. Московские русские победили Мамая.
2. На Руси было немало крещеных татар.
3. Татаро-монгольская конница была лучшими войсками в Империи.
4. Тохтамыш добил Мамая окончательно.
5. Русские князья и Тохтамыш поздравили друг друга с победой.

Юридический аспект

Беклярбек Северного (Русского) улуса Золотой Орды Дмитрий сражался против беклярбека Западного улуса Золотой орды Мамая. Вот как дело обстояло с сугубо правовой точки зрения.

Один беклярбек носил титул Великого князя Владимирского, на обладание каковым титулом и соответствующими полномочиями его назначила Орда по представлению местных властей.

Другой беклярбек превысил свои полномочия, стал бунтовщиком и сепаратистом, расколол державу и подлежал строгому наказанию. Мятежнику смерть, отделенные территории вернуть в лоно законного государства.

Действия Дмитрия полностью соответствовали представлениям Сарая о наведении конституционного порядка в Орде.

Итоги

Мамай бежал, не дождавшись конца сражения, бросив лагерь с массой добра. Чего он не попытался выправить положение, почему в панике бросил руководство — не совсем ясно. Опытный вояка, волевой командир.

Потери русских были огромны. По пересчету после битвы — уцелел один из шести. Пиррова победа. Страна лишилась войска и большой части мужчин.

Согласно летописям, рязанцы и литовцы грабили возвращающиеся домой русские обозы и добивали раненых. Здесь вопросы. Это были организованные воинские части, действовавшие согласно воле командования — или шайки мародеров? А мародеры есть везде. Шайки разбойничков по всем дорогам пошаливали. Второй вопрос: а что, обозы шли без войск, без охраны? Или конная телега едет медленнее кавалерии на марше (идущей шагом), или тем более медленнее пехоты? Третий вопрос: как советские бандиты после войны грабили советских фронтовиков — никогда не слышали? Грабитель и враг — понятия разных социальных уровней. (Почему рязанцы? Потому что по рязанской земле шли. Кто рядом был — тот и грабил.)

Эта необъяснимая Рязань

Произвести подсчет потерь и оставшихся сил Великий князь поручил московскому боярину Михаилу Александровичу. Не утомляя читателя числительными, отметим лишь одно — которое ну никак не согласуется с общепринятой точкой зрения.

А именно: рязанских бояр погибло в битве 70 человек. Это больше, чем из любого другого княжества. В полтора раза больше суздальских, в два раза больше московских, в три раза больше костромских.

Рязанские бояре что — добровольческий офицерский полк сформировали? Или все-таки с воинами пришли? Если считать соотношение бояре–рядовые более или менее постоянным для войск всех княжеств — то рязанцев сражалось против Мамая больше всех? Или их в самое гиблое место поставили?

Боюсь, что союз Рязани с Мамаем против Москвы придумали позднее для морального обоснования захвата Рязани Москвой. Создать образ врага, чтобы не сомневаться в праве на аннексию. Это мы проходили.

Поздравляем нового царя с победой

Как Великие князья — Владимирский и Суздальский, победители, так и Тверской, нейтрал, вот только про Рязанского молчание — так и князья удельные, желая напомнить о себе и поддержать статус — все они после битвы направили поздравления законному царю Тохтамышу, присовокупив к поздравлениям подобающие и посильные дары.

Новый царь Тохтамыш проявил внимание, понимание и любезность, и также направил русским князьям поздравления с победой.

Дружба, скрепленная кровью. Идеальная картина.

Конец Мамая

Примерно через год Тохтамыш добил Мамая. Большинство мамаева войска перешло к законному хану, Мамай бежал с казной в Каффу, Крым, где его не то генуэзцы отравили, не то телохранители зарезали, а только казна исчезла.

Русские князья снова поздравили Тохтамыша и приложили дары. Тохтамыш также поздравил своих вассалов с победой их общего дела.

Итак, настала долгожданная стабильность.

Независимые и странно наказанные

Все источники сходятся в том, что после Куликовской победы русские перестали платить дань Орде. Никакого федерального налога!

И жили себе два года вполне независимо.

Пока Тохтамыш не пришел в негодование от такого бунтовства и не сжег Москву. И не восстановил иго татаро-монгольское еще на сто лет. Вместе с налогом. Хотя иго все равно не оправилось от великой русской победы и через сто лет рухнуло под тяжестью своих преступлений. Вместе с налогом.

Вопрос первый. А это все князья сообща решили не платить? Или Великий удельным сказал: хватит, ребята, оставляйте себе? Или удельные отказали Великому: денег нет — платить не будем.

Странно! Поздравлениями обменивались. Дары в подобной ситуации — это признание своего вассалитета. Вроде, приличные наладились отношения. А отказ платить — это открытый бунт.

Вот. Второй вопрос. Кого карают за бунт? Зачинщиков. Вождей. Лидер ответит за все выходки своей державы, совершенные под его руководством.

Погодьте, ребята, погодьте. Включаем мозги.

Что — людишки отказывались платить князю? Так это бунт смердов против князя. Покарать! Привести в чувство! Сейчас внутренние войска, княжья дружина, по очереди начнет выжигать деревни, насиловать баб и вешать мужиков на воротах. Две деревни вразумят — остальные мгновенно сами вразумятся. Что вы, честное слово, ерунду-то городите.

Так это князь принимает решение не платить царю?! Налоги-то только через его руки идут, это он их собирает и сдает наверх. Так. Нецелевое расходование средств, причем умышленное и злостное. В виде особой милости — закатать князя в ковер и удушить, не пролив его крови. Но лучше — зарезать как собаку за такие выходки.

На что направлен такой поход по восстановлению порядка? Покарать князей и отдать их уделы людям более достойным и верным. А Великие князья, ставшие лидерами сепаратизма, кончат как Мамай. Лишатся жизни и казны. И стадо, получив нормального пастыря, вернется к исполнению своих обязанностей. Пахать, платить, подчиняться.

Рыба тухнет с головы. Бейте по штабам.

Что же мы видим? Тохтамыш перебил людишек без счета, сжег город, разграбил волости — а князей не тронул никого! А Дмитрию дал ярлык на великокняжение!!! За что???

Дети. Эти пропагандисты парят нам мозги. Знаю, сам в газете работал.

Как говорили в Одессе — тут таки у вас шо-то типичное не то.

Налог кровью

Вы слышали, что за деньги можно откупиться от армии? А что в счет денежного долга можно отдать имущество — тоже слышали? А что долг можно погасить какой-либо услугой, помощью, каким-то действием — тоже слышали?

А что Орда могла требовать с улусов поставку юношей в ордынскую армию — и это известно?

А вы в школе старинные строки не читали:

У кого денег нет —
У того дитя возьмет;
У кого дитяти нет —
У того жену возьмет;
У кого жены-то нет —
Того самого с головой возьмет.

Нет? Не помните? Это о чем? О том, что денежный налог может взиматься и людским поголовьем. А также продуктами, оружием, изделиями и прочим. Все имеет стоимостный эквивалент.

И рекрутами, бойцами тоже может взиматься налог.

Русские положили множество воинов в борьбе против тохтамышевского врага. Фиг бы Тохтамыш его добил, если б мы его не замучили.

Во-первых, такие жертвы, потери и услуги нельзя не оценить. Налог кровью Русь заплатила на многие десятилетия вперед. Чем можно наградить самоотверженного вассала, оказавшего неоценимую помощь? Земля у него есть, денег у царя у самого нет, драгоценности и доспехи — мелочь незначимая. А освободить его от всех царских налогов — на какое-то время. На год, три, пять, десять! Прими от меня, слуга и друг верный, чем могу тебе отплатить.

Денежный налог с лихвой был уплачен кровью. И эта кровь была для Орды куда дороже денег.

Во-вторых. Русь так обезмужичела, что и налог-то платить трудно. Много дворов без кормильцев остались. Сами еле живы, весной и от голода мрут, случается. Надо же войти в положение, дать хоть несколько лет народу. Чтоб подняться как-то. Ну, с точки зрения хозяйского расчета.

Так что после битвы очень даже могли — и должны! — получить на какое-то время освобождение от ордынского налога.

Проявление самодержца: власть церковная

Мы говорили, что с детства до зрелой молодой мужественности, с 9 и до 27 лет за Дмитрия фактически правил митрополит Алексий. Политик более сильный, умный и авторитетный. И когда Алексий умер, Дмитрий не мог допустить, чтобы его место занял Сергий Радонежский — непререкаемый духовный авторитет на Руси и лучший, способнейший ученик Алексия во всем. Митрополит Сергий — это означало бы, что Великий князь снова ходит под главой церкви, как случалось королям ходить под Папой Римским. Выдвижение в митрополиты услужливого духовника Митяя явилось демонстративным глумлением над идеей митрополитства как высшей власти в государстве. Ну, про назначение и утверждение митрополитов мы уже говорили.

Итого — после Куликовской битвы митрополитом был Киприан.

Эти сложнейшие церковно-княжеские и политико-экономические интриги, многоходовые комбинации и неожиданные перевороты — невозможно изложить кратко. Для нас главное следующее:

Пимен, игумен монастыря в Переяславле-Залесском, которого церковная депутация самовольно вписала в грамоту после смерти Митяя близ Константинополя — этот Пимен, рукоположенный Патриархом Константинопольским в митрополиты Киевские и Всея Руси — Пимен был по возвращении в 1381 году отправлен Дмитрием в Чухлому, село в глухих лесах за Галичем, в заточение. И весь сказ.

Здесь необходимо сделать паузу. Чтобы лучше осознать. Совершенное Дмитрием было — неслыханно! Рукоположенного Патриархом легитимного митрополита Всея Руси — князь посадил в тюрьму! Это означает надругаться над неприкосновенностью православной церкви, над законом, запрещающим светской власти вмешиваться в вопросы внутрицерковной иерархии. Легитимный митрополит — особа священная, у него высшая власть благословения просит.

Политический и идеологический переворот!!! Реформировано сознание и устройство государства.

Принципиальную важность этого поступка невозможно переоценить.

Вот именно с этого момента — с заточения легитимного митрополита, ничем не погрешившего против законов и интересов государства — и начинается история с а м о д е р ж а в и я на Руси. А вот потому что государь — Великий князь — так захотел. Своей единоличною волей приказал.

...Ну — у Дмитрия наверняка были свои резоны. Он Пимена не выдвигал. Архимандриты его сами представили Патриарху на утверждение. Но независимо от этого — уж утвердили так утвердили, поздно жаловаться. Ан нет. Великий князь не признал легитимности митрополита, кандидатуру которого он заранее не указал и не одобрил.

Да — князь откровенно гнет церковь под себя. Хватит, достаточно его Алексий гнул — теперь черед Дмитрия гнуть церковников, чтоб знали, кто в доме хозяин.

И, посадив Пимена, Дмитрий велит ехать в Москву Киприану. Его назначали митрополитом? Вот и пусть исполняет свои обязанности! И нечего злопамятствовать, что ограбили, побили, опозорили, в темницу ночевать сунули и прогнали взашей вон.

(Путаница и вражда в это время, 1380–1385, трех законных митрополитов одновременно вполне подобны троепапству в Ватикане — возникшему почти тогда же, вот что поразительно.)

Судьбу Киприана также трудно назвать безмятежной. Еще при живом Алексии он был рукоположен патриархом Константинопольским как митрополит Киевский, Литовский и Русский — при том, что патриарший совет постановил: после смерти Алексия Киприан становится митрополитом Всея Руси.

(О, здесь много юридических и терминологических тонкостей! Всея Руси — это Всея. А Литовский и Русский — это в Великом княжестве Литовском и Русском, где русских больше, чем в Московии. А Киевский — это тоже Всея Руси. Но общим решением можно сделать, что Киевский как бы отдельно, а Всея как бы отдельно. Что? Да, чистая казуистика; не обращайте внимания.)

Короче. Киприан был абсолютно легитимный митрополит. И на зов Дмитрия тут же приехал. И номинально был главой православной церкви как Московии, так и Литвы. И все его признавали.

Но. Он отлично помнил недавнее прошлое. Сменит князь планы — и вышвырнут его вон голого и босого. В чем Вы, Ваше святейшество, зная Его Сиятельство не первый год по совместной работе на фронте, не можете сомневаться, вплоть до высшей меры, какового и шлепну гада собственной рукой. Простите — это уже цитата из другой эпохи, но тоже буйной и тоже нашей.

Проявление самодержца: власть светская

О тысяцких мы уже упоминали, говоря о начале карьеры Боброка. К слову, московские тысяцкие ведали также торговым судом, распределением повинностей и судебными расправами над всем «неаристократическим» населением (третьим сословием, как сказали бы позднее французы).

Эти вторые лица в государстве имели огромный круг связей. Масса народа находилась в личной зависимости от них. Через них шло все, грубо говоря, внутреннее делопроизводство. Тысяцкий был главой административно-чиновничьей пирамиды.

И этот альфа-чиновник располагал огромной личной властью. Границы которой ревниво оберегал. И расставаться с которой не хотел ни за что. Еще бы иначе.

Эту власть из выборной или назначаемой тысяцкие стремились сделать наследственной, родовой.

В XIV веке московские тысяцкие были из знатных боярских родов Хвостовых и Вельяминовых. О знатности их говорит уже тот факт, что сестра тысяцкого Василия Вельяминова вышла замуж за князя Ивана II Красного, стала княгиней и – что для нас важнее – матерью Великого князя Дмитрия Донского.

То есть. Тысяцкий Василий Вельяминов приходился Дмитрию дядей, а Дмитрий ему, соответственно, племянником. Но мало того.

В Москву бежавших Вельяминовых вернул Иван II, когда затихли волнения, вызванные в 1357г. убийством тысяцкого Алексея Хвоста. Иван вернул Вельяминовым должность тысяцкого и покровительствовал их вхождению в силу.

Когда Иван умер, его сыну Дмитрию было девять лет. И его дядя, брат матери, тысяцкий, располагавший всей полнотой внутренней власти в Москве и, в общем, в княжестве, фактически был его опекуном, регентом, «вместо отца» и все, что хотите. Мальчик, отрок, юноша, молодой мужчина находился под его влиянием, власть тысяцкого ограничивала княжью власть. Тысяцкий был на поколение старше, опытен, богат, поставил в зависимость от себя множество серьезных людей, ему лично обязанных. Его воля и его интересы определяли положение в Москве куда больше, чем пожелания титулованого Великого князя.

В 1374 году Василий Вельяминов умер. И двадцатичетырехлетний Дмитрий объявляет решение: больше у него не будет тысяцких!

Сам, то есть, рулить будет. Хватит нам наставников, не будут больше свою волю навязывать, на свой интерес деньгами управлять и вообще не давать реально править.

Народишко подзабалдел: крут молодой наш батюшка-князь-то. Это же он порядок вещей ломает. А с купцами и ремесленным людом кто все переговоры и оплаты вести теперь будет — тоже он сам? И ополчением тоже будут ведать те, кого он назначит, и исполнять только его приказы?..

Ошарашенность могучего рода Вельяминовых, бояр сказочно богатых и влиятельных, была несказанной. Это — как?! За что такая немилость?! Несправедливость, неслыханное нарушение всех обычаев?..

Старший сын умершего Василия, Иван, не смог смириться с такой несправедливостью и решительно вознамерился занять причитающуюся ему должность тысяцкого.

И заварил страшную кашу.

С ним вместе учинял последующие потрясения Некомат, богатый сурожский купец, крымчанин, окопавшийся в Москве. Представитель бизнес-элиты, так сказать. Среди купцов московских также зрела смута: чиновное начальство сменилось. Теперь полагалось заносить людям Дмитрия, а не Вельяминова. А новые чиновники — бедные, жадные, голодные. Они должность рассматривают как средство быстрого обогащения. Больше прежних берут.

Итак, Иван Вельяминов и Некомат приехали в Тверь вместе с группой авторитетных бояр и купцов. И сделали князю Михаилу Тверскому предложение, от которого он не смог отказаться.

Иван поедет в Орду, привезет деньги и подарки, задействует все немалые связи рода Вельяминовых. (А род был неслаб — много лет именно ведь тысяцкий Василий обеспечивал значительную часть налога в Орду.) Некомат берет на себя материальное обеспечение мероприятия. Таким образом, Иван исхлопочет Михаилу ярлык на Владимирское великокняжение. А Михаил сделает его своим тысяцким — как Ивану Вельяминову и причитается быть тысяцким Великого князя.

Классный политический кульбит. Тысяцкий остается в должности при Великом князе, вот только личность Великого заменяем, а конструкция власти та же самая.

Пославшие с Иваном и Некоматом депутацию московские бояре и купцы замысел поддерживали и разделяли. Их эти реформы пугали. Так можно и положения лишиться, и убытки непредсказуемые.

Замысел удался! Иван поехал в Орду — и Михаилу прислали ярлык Великого князя Владимирского. Сын Михаила остался в Орде заложником. А Дмитрию, стало быть, оставили Москву и фигу.

Но Дмитрий проявил командный характер (рядом с верным Броброком, как обычно). Он наплевал на решение Сарая, послал туда собственные дары, жалобы и объяснения. А тем временем с войском осадил Тверь.

А еще! Дмитрий перекупил в Орде заложника – сына Михаила – за гигантские 10 000 рублей! И держал отрока у себя – пока тверской князь не сломался.

Михаил Тверской перетончил. Он перехитрил сам себя. Тверь ориентировалась скорее на Литву. А ярлык получила от Орды. А помощи запросила при осаде сначала у Орды. А когда она не подоспела — стал просить помочь Литву: Литва ближе, ну, и роднее.

Орда и Литва по размышлении предоставили двуличного князя его судьбе. (Попытку Ольгерда прислать помощь Твери Дмитрий отразил.) Судьба оказалась к Михаилу милостивой, но не вовсе. Он покаялся Дмитрию, признал его главным, отказался от ярлыка и поклялся впредь не претендовать на великокняжение. Отдал взятый Торжок и окрестности. За это остался на своем месте. Ему даже нарезали в утешение еще угодий.

Но Иван! Зачем он решил вернуться в Тверь? По хозяйству, лелеял новые планы — или Дмитрий хитростью заманил? А только схватили его под Серпуховым и судили небывалым судом. И вынесли небывалый приговор.

Впервые на Руси судили за государственную измену. До этого переход боярина (равно и свободного человека любого сословия) на службу к другому князю рассматривался как вещь обычная. И действия этого боярина на новой службе, направленные к пользе нового хозяина, тоже расценивались как естественные и нормальные.

Впервые у боярина отбирались все его наследные угодья, собственность его кровная — и переходили в княжескую казну. Неслыханно это; небывало; не по-людски.

Впервые суд приговаривал человека к смертной казни. За триста лет существования «Русской правды» — не случалось подобного, и невозможно оно было. «Русская правда», основной и незыблемый правовой кодекс — смертной казни вообще не предусматривала; не было в ней такого наказания.

Впервые состоялась не просто казнь — но казнь публичная. Сейчас даже трудно представить себе, какое впечатление это произвело на современников. И прежде всего очевидцев. Жестоко ломались вековые устои. Запахло ужасом и террором. Голову рубят — на помосте, при народе!.. Власть провела показательную акцию устрашения.

Иван был молод и красив. Это добавило жалости к нему. Двоюродный брат Великого князя!..

...Через пять лет удалось поймать Некомата. Не дали ему сбежать, стерегли пограничные кордоны! И точно так же — публично отрубили голову.

Топором палача обтесывалась вертикаль княжеской власти! С братоубийства она началась...

Никто больше не сомневался, что вся власть в государстве принадлежит Великому князю.

Вековые итоги Куликовской битвы

Все огромное Смоленское княжество, с ним Вязьма, Ельня и Дорогобуж после смерти Дмитрия отошли к Литве.

Все Верховские княжества с Козельском, Мценском и т.д. отошли к Литве.

Великое княжество Литовское укрепилось и расширилось от Черного моря (куда вышло западнее Крыма) до Балтики, от Новгорода до Молдавии.

А также: ни Ростов, ни Ярославль, ни Тверь с Торжком, ни Рязань с Переяславлем и Пронском в Великое Московское княжество не входили.

За последовавшие десять, двадцать и тридцать лет после битвы размеры Московского княжества уменьшились. Была юридически присоединена лишь безлюдная лесная территория на северо-востоке, у притоков Северной Двины.

Получается, ребята, вот что:

После Куликовской битвы (или — вследствие? в результате?) Литва расширилась и приподнялась — а Москва уменьшилась и слегка опустилась.

Так за что мы проливали нашу кровь? Будьте любезны: какую пользу принесла нам — Московской Руси — эта победа? Если Литва расширилась, а мы сузились?

Слушайте — а почему?

Потому что Русь ослабла после битвы? Так зачем билась.

Иначе бы Мамай захватил? А зачем Мамаю жить в Москве? Климат северных лесов понравился, родная степь надоела, Крым некрасив? Чтобы получать доход с провинции — не обязательно там жить.

Он денег требовал! Так заплатить дешевле бы стало, чем класть столько жизней, ослаблять страну и лишаться территорий вместе с людьми.

Странное противоречие

Могучая и бесспорная военная победа на Куликовом поле — обернулась политическими, экономическими и территориальными потерями.

Великий стратегический выигрыш

Но. На поле Куликовом суздальцы и нижегородцы, владимирцы и москвичи впервые почувствовали себя единым народом — русскими. И это великое чувство не исчезло уже никогда, именно отсюда, с этого поля, берет свое начало единый и великий русский народ. И именно это духовное единство предопределило в будущем создание великой державы, огромной и могущественной России. Где вокруг великого русского народа сплотились многие десятки народов других, чтобы в братской семье строить общий дом и жить в нем без войн и границ, в мирном созидательном труде.

Сомнение

А вы на том поле были? Вы с теми людьми разговаривали — чувствуют они единство? Или, может, иное что? Отдохнуть, попить, раны перевязать, от горячки боя отойти, выпить — душу отвести, смотреть, чтоб трофей не сперли?

А вы можете сказать — это единство чем конкретно подтверждается? Воровать перестали? Воевать княжества меж собой перестали? Под руку Москвы стали проситься? Русь расти стала, все друг к другу потянулись?

Так ведь ничего подобного! Меж собой резались и собачились точно так же, как раньше. К Литве ряд земель перешел. Князья обиды считали и друг другу предъявляли — а их бойцы исправно рубили и кололи бойцов соседнего княжества.

Психология и технология истории

Историк моделирует прошлое, исходя из настоящего. Он знает, что сегодняшний мир — следствие и результат процессов в мире вчерашнем.

И вот он подгоняет условия задачи (что было?) под ответ (что получилось). Ответ ему известен — вот и надо определить, из чего изначально этот конечный ответ получился.

Природа всегда стремится решить задачу и достичь результата самым простым, рациональным путем. Историк, как порождение и часть природы, делает точно то же самое. Он стремится строить простейшие ретроспективы, исходя из представлений сегодняшнего дня. При этом сегодняшние воззрения, сегодняшнее положение дел проецируется в глубину прошлого, как тень листвы на дно шахты.

Сегодняшняя идеология определяет вчерашнюю историю. Мы лепим предков, исходя из собственных взглядов и симпатий.

Русский народ стал великим, объединил вокруг себя много других и создал огромную страну. Это факт. А – почему? Как это вышло? Благодаря каким факторам? С чего началось? В чем первопричина, так сказать?

У ученых до сих пор нет внятного ответа, есть ряд теорий и гипотез. Но обычный ученый историк подобен журналисту: он обязан дать ответ в силу своего разумения! И понять по мере своих не безграничных возможностей.

И тогда недостаток теории, нестыковки в фактах и погрешности анализа он драпирует литературой. Метафорами и гиперболами. Он объясняет прошлое, исходя из своих представлений о сущем и должном. Исходя из собственного морально-интеллектуального багажа. Воспитание, школа, газеты, истфак, бутылка на кухне, читальный зал, интернет. Этика, истмат и диамат, христианство и политкорректность, патриотизм и старые песни о главном.

Мораль и пропаганда затягивают провалы между фактами, подобно маскировочным сетям. Герои и массы обретают прогрессивное историческое сознание. Они стремятся к добру и истине — это стремление объясняет поступки, путь к которым историк не в силах объяснить и аргументировать иначе.

Не в силах постичь сущее, историк заменяет его должным.

Цепь рассуждений примерно такова:

Русские — великий народ. Они не всегда были им — но со временем стали. Они были раздроблены — но потом стали едины. Чтоб стать едиными — надо к этому стремиться. Желание предшествует действию. Желание единства — когда оно возникло? И как? А ощущение единства — когда оно возникло? И как?

Когда люди объединяются крепче всего? Перед лицом общей опасности, которую можно и нужно отразить. Если не отразили — тогда гм, можно опуститься, погибнуть. А вот если отразили — эти чувства единства, своей силы в единстве, радость победы, гордость за себя и всех бойцов за общее дело — эти чувства рождают ощущение братства, родства по крови и судьбе, и это остается уже навсегда.

М-да. Вот примерно так.

Истории всех в е л и к и х народов берут начало от славных побед в серьезных битвах. Греки и Марафон, римляне и Ганнибал, испанцы и Реконкиста, французы и Столетняя война, турки и Константинополь: длинный список... Где у русских этот момент истины, этот узелок на нити Истории, когда звездный час народа определяет его дальнейший взлет? Вот он, вот он, кричат нам в восторге летописцы из сумрачной тьмы веков, их свидетельские гимны перетекают в величавую гордость создателей русской истории века XIX — и вот мы здесь, господа. На поле Куликовом.

И Мамаева орда оказывается Золотой, и Мамай становится ханом, и русский улус Орды предстает стонущей под чужеземным игом страной, и при этом коллаборационист делается героем.

На поле Куликовом мы противостояли Орде и победили — это был час нашего величия. Это величие явилось залогом величия в будущем еще большего, несмотря на временные трудности.

Это — экстраполяция поздней истории на механизм ее раннего периода. Это объяснение прошлого, исходя из настоящего.

И все это — искусственная, умозрительная конструкция. Пример вульгарного псевдодетерминизма. Газетная пропаганда. Руководящая роль коммунистической партии, вдохновителя и организатора всех наших побед.

Нам чо впаривают, грубо говоря? Что русские стали великим народом, а Россия огромной империей, потому что все русские прониклись чувством единства, которое родилось на Куликовом поле.

...Единение народа на Куликовом поле придумали позднее платные идеологи государства, которые имели задачей обосновать объединение государства благородными и гуманными началами. А проводится всегда государственное объединение — как? А вот так — как всегда! Через насилие, войны, угрозы и захваты, оккупации и аннексии, коварство и жестокость, устранение и убийство конкурентов, через лишение привилегированных сословий их законных вековых прав, через подчинение все и вся своим порядкам и своей воле. Кровь и железо, и мера в руке его! Вот что стоит за позитивно окрашенным в тона прогресса словом «централизация».

Начало абсолютизма на Руси

Итоги Куликовской битвы были для Московской Руси вполне горестными и бессмысленными.

Людские потери ослабили силу государства. Территориальные потери уменьшили его размер и через то политико-экономический потенциал.

Последовавшее через два года нашествие Тохтамыша, сжегшего и вырезавшего Москву и окрестности, усугубили зависимость Московии от грозной Орды. (Когда через сто лет Орда развалится — это никак не будет зависеть от московского сопротивления и т.п.)

Так а чо было-то?

А было то, что Великий князь — в данном случае Владимирский и Московский — поставил себя так, как до него не смели или не могли.

Первое: он нагнул под себя церковь — и стал менять митрополитов по своему усмотрению! Он лишил церковь независимости от светских властей. Он — именно он! — впервые после Владимира-Крестителя превратил ее в идеологический отдел великокняжеской администрации. Отныне и до веку православная церковь будет всей своей мощью исправно внушать народу то, что хочет ему внушить Государь. Волею Господа освятит церковь приказ государственной власти! И ослушание объявит грехом перед Всевышним. Православная церковь превратится в орган государственного мозгоимения и будет требовать от души человека то же, что светская власть требует от его материального тела.

Второе: он урезал привилегии боярства. И не стало больше на Руси тысяцких! Никто не смел указывать Великому князю — более того, никто не смел советов подавать, пока князь этого не велел. Ему — лично! — отчитывались его чиновники в своих обязанностях, и его приказы исполнялись беспрекословно. И каждый боярин — каждый! — знал отныне, что все его имущество может быть отобрано Великим князем, и сама его голова отныне принадлежит Великому князю.

Третье: и одновременно же при нем, при Дмитрии, возникает Боярская дума!.. Такой показательно-совещательный орган для одобрения княжеских решений и законов боярским сообществом. Боярское правительство, много лет управлявшее государством под руководством митрополита Алексия и тысяцкого Вельяминова — более не существует! Вместо правительства, вместо сената — стала группа высшей знати для одобрения княжеских решений; все. А вот за эту службу — Великий князь жалует своих верных холопьев боярского звания землями и деньгами. Поддакивание власти делается элитной профессией на Руси!

Четвертое: он изменил действующее законодательство в пользу расширения прав и возможностей Великого князя, не сдерживаемых предписаниями. С начала XIV века «Русская правда» стала понемногу терять свое значение как действующий источник права. Но уже с начала XV века положения «Русской правды» просто перестали включать в действующие юридические сборники: они потеряли правовую силу. Оформленность этого процесса стало очевидно непосредственно после правления Дмитрия.

Именно при Дмитрии Московская Русь приобрела черты абсолютистской монархии.

Был заложен механизм для будущей централизации государства, расширяющегося до мыслимых пределов.

Он был великий реформатор, Дмитрий Донской. Не духом единым, но силой и страхом, выгодой и обманом собирал он под себя русские княжества.

С того набирал власть и богатство — и богатством тем щедро одарял покорных и верных помощников. Чтоб им было выгодно служить ему!

Накладка

В твоей программе пройдут не все номера, как любил говорить один веселый выпестыш американской демократии.

Ибо Тохтамыш, озабоченный неплатежами и сепаратизмом Русского улуса, лично возглавил карательный поход по очередному восстановлению конституционного порядка во вверенном ему Аллахом государстве. Конный экспедиционный корпус «шел в изгон одвуконь», то есть с предельной скоростью, и быстро достиг Москвы.

Что касается происходящего в это время в Москве, летописи предлагают нам два варианта событий:

Первый. Дмитрий срочно выехал в Кострому — собирать войско, чтобы отразить татар.

Второй. Дмитрий с войском перед этим вышел в поход на Литву, на Ягайло. Но войско в походе взбунтовалось — и он уехал от него опять же в Кострому, собирать новое войско, чтобы отразить татар.

По обоим вариантам — в Москве в это время случился мятеж. Чернь разбила винные погреба и перепилась, учинила поругание жене Дмитрия, бывшей на сносях Евдокии, а также митрополиту Киприану, и еле выпустила их из города.

По обоим вариантам — оставшись без князя, москвичи пригласили литовского князя Остея, внука великого Ольгерда, возглавить оборону. И он к ним приехал и возглавил.

Тохтамыш подошел к Москве. Увидел, что каменные стены нового кремля ему не взять. Узнал, что Дмитрия в городе нет. Обманом вынудил открыть ему ворота. Перебил массу людей, разграбил и сжег город. И пошел восвояси, пограбив на обратном пути многострадальную Рязань.

Вернулся Дмитрий. Руководил массовыми похоронами и восстановлением Москвы. Поехал в Орду и получил ярлык на Великое княжение от Тохтамыша.

И еще сто лет Русь платила налог и была улусом Орды.

Вот такой еще итог Куликовской битвы.

То есть: со всех сторон сплошные минусы!

А уравновешивать и перевешивать их должен такой трудноопределимый плюс, как зарождение национального единства в массовом народном сознании. И плюс этот обнаружен не современниками, но отдаленными потомками-учеными.

Сейчас мы начнем с этим плюсом разбираться.

Релятивистская скорость исторических процессов

Татарская конница форсированным походным маршем преодолевала в среднем до 200, и определенно — 150 верст в сутки. Каждый конник имел сменного верхового коня, лучше — двух. И пересаживался с одного на другого, давая им отдохнуть по очереди. 10 часов движения неспешной рысью по 15 верст в час дают такую скорость.

Расстояние от Сарая-Берке (близ современного Волгограда) до Москвы составляет около 1000 верст. Оно преодолевается за 7 дней.

Если принять версию, что предварительно Тохтамыш предпринял поход на Волжскую Булгарию, уже там в столице велел перебить всех русских гостей (т.е. купцов и прочих) для сохранения секретности похода, переправил армию на правый берег Волги — и оттуда пошел на Москву — то:

Расстояние от Булгара до Москвы — около 850 верст, 5–6 дней марша.

В движении татары убивают всех встречных — чтоб никто не мог разнести весть об их приближении. Фактор неожиданности сохраняется до последней возможности.

Расстояние от границ русских земель на юго-западе, юге или юго-востоке до Москвы в среднем — около 300 верст с любого направления.

То есть:

Вступив на территорию русских княжеств — татарская конница достигает Москвы за два-три дня.

Итого:

Москвичи имели максимум два дня с момента оповещения о приближении татар — до их появления под стенами. За эти два дня:

Дмитрий уехал в Кострому собирать войска.

Москвичи устроили мятеж.

Решили послать за сторонним князем, чтоб он возглавил оборону.

Послали за Остеем.

Он приехал и возглавил.

Вас не удивляет скорость действий москвичей?

Вы не спрашиваете — а чего они взбунтовались?

А если они подвергли поношению жену Великого князя — что они лично против нее имели? Или глумление над женой было Великому адресовано?

Когда Дмитрий уехал в Кострому — он кого оставил на хозяйстве? Кого командовать в Москве оставил? Али никого?

Остея пригласили его подданные — через голову своего Великого князя, что ли? А он сам — почему никого не оставил обороной руководить ввиду приближения татар?

Да где это видано: при живом князе, который войска для обороны от врага собирает — горожане приглашают в себе другого князя командовать ими при обороне?

А потом ведь и Евдокию отпустили из Москвы, и митрополита Киприана после издевательств — тоже отпустили. А чего тогда раньше держали?

И главное — как они это все за два дня провернули, да еще успев допьяна напиться из разбитых подвалов?

А князь Остей что — ждал бьющих челом посыльных москвичей уже одетый и с собранным походным чемоданом? С места — в седло? И приближенные князя — синхронно прыг за ним? Вы что, никогда не видели, с какой мучительностью решаются оргвопросы и кадровые перестановки?

Учитывая срок закипания и выплескивания массового недовольства, организационные способности толпы, учитывая необходимое появление вожаков и зачинщиков, учитывая споры при консолидации мнений, и скорость принятия решений и скорость их выполнения — здесь времени-то необходимо поболее. Недели две уж положить всяко надо.

Какая-то ускоренная перемотка видеоряда.

И что характерно — куски ленты склеены с явным нарушением логики и последовательности.

Только факты

1. Дмитрий покинул Москву.
2. В Москве произошел бунт.
3. Жена Дмитрия и митрополит подверглись поруганию.
4. Но потом их выпустили из Москвы.
5. Москвичи пригласили литовского князя Остея.

6. Остей прибыл в Москву возглавить оборону.

7. Тохтамыш подступил к Москве и не смог взять штурмом.

8. Он хитростью вынудил открыть ворота, перебил жителей и разграбил город.

9. И ушел восвояси.

10. Дмитрий вернулся в Москву и получил ярлык Великого князя.

11. И возобновил уплату ордынского налога.

Вопросы без ответов

1. Почему произошел бунт? Чем были недовольны москвичи и чего они хотели?

2. Тохтамыш не смог взять новые каменные городские стены. Немногим ранее их дважды не мог взять Ольгерд. Так почему Дмитрию не возглавить оборону в Москве, за неприступными стенами?

3. Если он все равно не собрал в Костроме никакого войска — так зачем он туда ездил?

4. За что москвичи издевались над женой Дмитрия?

5. Почему Тохтамыш ничего не предпринял против лично Великого князя, который отказался платить ему дань и подчиняться его власти, ведя со своим княжеством независимую политику? Ведь ответственность на нем!

6. За что Тохтамыш вырезал москвичей? Ведь не они решали, платить дань или нет, подчиняться Орде или нет, ведь это Великий князь с боярами решает!

7. Почему Тохтамыш позволил Дмитрию вернуться в его стольный град и продолжать править?

8. За что Тохтамыш дал Дмитрию ярлык Великого князя?

Безответный вариант–2

Если принять предлагаемую рядом источников вариацию — что Дмитрий пошел с войском на Ягайло, а войско взбунтовалось по дороге — и далее по прежнему сценарию, то:

1. По каким причинам ослабленная Куликовской битвой Москва пошла войной на Литву? Чего хотела?
2. А чем было недовольно войско?
3. А какие оно выставило требования?
4. А что оно стало делать, когда Дмитрий уехал от него в Кострому — собирать другое войско?
5. А откуда другое войско возьмется? Откуда такой неисчерпаемый мобилизационный ресурс?
6. Опять же — и где это второе войско?
7. А главное — куда в контексте последующих события делось взбунтовавшееся войско Дмитрия? Рассосалось? Разошлось по домам? И никто из зачинщиков не был впоследствии наказан — за самое тяжкое воинское преступление, за вооруженный мятеж против командования и высшего государственного руководства? Причем по законам военного времени — в военной обстановке ведь взбунтовались, в походе на врага, перед боем! И всем с рук сошло?.. Никаких, заметьте, упоминаний.

Что значит — «бунт»?!

Бунт есть попытка насильственного изменения административно-государственного порядка, предпринятая снизу.

Бунт вызывается недовольством низов своим положением. Материальным и/или правовым.

Бунт означает: нам сильно не нравится то, что вы, начальство, делаете. Мы считаем, что вы несправедливы, что вы зажимаете наши права, не прислушиваетесь к нашему мнению, не считаетесь с нашими интересами — а управляете институтом, или заводом, или городом, или страной только в собственных интересах. И управляете неправильно, не во благо делу и народу.

Причем с вами невозможно договориться миром! Вы не слушаете народ, не следуете его мнениям, не желаете поступаться вашими интересами ради интересов общества.

И вот терпение наше лопнуло! И мы выходим в коридоры или на улицы, ломаем мебель в ваших кабинетах или бьем стекла в ваших министерствах, хватаемся за булыжники или любое оружие! И идем силой брать наши права, защищать наши интересы!

Мы разгоняем и бьем вашу охрану, мы стаскиваем с трибун ваших администраторов, мы плюем на ваше правительство!

Мы стараемся сформулировать наши требования, стараемся построить наши планы, выдвигаем из своих рядов самых умных и справедливых. Ну, и ловкие крикуны, конечно, выдвигаются.

Мы стараемся организовать свои силы, сформировать какие-то управляемые вооруженные подразделения, охрану, наладить обеспечение нашего собственного порядка.

Мы стараемся понять, как нам дальше управлять своими делами — и как устроить так, чтоб на равных разговаривать с сильными мира сего, чтоб закрепить свои завоевания в этом мире волков.

А что такое «московский бунт»?

Бунт в Москве мог быть вызван только двумя причинами. Первая — паника, что князь бросил их пред лицом наступающего врага. Вторая — недовольство князем.

С первой причиной ничего не получается. Отъезжая со всей срочностью, Дмитрий не мог не объявить официально, что приближается враг, что он будет разбит и победа будет за нами, как на поле Куликовом. Что Дмитрий соберет войска в Костроме, а надежные стены защитят город. Припасов хватит, воинский гарнизон надежен, воевода опытен в ратном деле, боярская дума на месте, все в порядке, земляки.

В Москве должно было остаться привычное руководство. Управление жизнью города не претерпевало особых изменений. А Дмитрий вскоре вернется с войском и разобьет татар, снимет осаду.

Опять же — жену с детьми в городе оставил. Верит, значит, что Москву не возьмут.

Но — где воевода, кто он?! Где бояре, кто должен управлять городом?! Где воины, дружина, охрана, гарнизон — где хоть кто-нибудь?! Они все что — по щелям попрятались, или волной их смыло? Или бунтовщики их всех убили? А – с чего? И почему о том нигде никаких записей?

А почему Евдокия-жена решила с детьми покинуть Москву — уже без Дмитрия? И почему ее сначала не пускали и позорили — а после выпустили?

А почему митрополит Киприан сначала остался в Москве — а потом уехал?

А почему позвали к себе со стороны князя Остея? Что, без него некому было оборону возглавить? А Дмитрий — никого не оставил на этот случай, да? А чего вам Остей — на Руси своих князей мало, что ли? Никто из ветеранов прошлых победных битв не примчится возглавить оборону стольной белокаменной Москвы от басурман?

Тогда получается из двух одно. Либо Дмитрий оставил Москву без оборонительного гарнизона и руководства. Что дико. Либо москвичи этот гарнизон выгнали вон начисто или, того пуще, перебили. А только не стало его. Что не менее дико.

И опять же — как они это все за два дня провернули?..

Согласитесь, мутная история.

Любовь к музе Клио

Подобно всякой любви — любовь к истории обычно слепа и не рассуждает. Это неизъяснимое влечение к ископаемым фактам и нанизывание их на бисерную нить времени. Бусины красиво блестят и гармонично соседствуют.

Прозреть за фактами систему, где они сопрягаются в единую и взаимообусловленную структуру действий, и действия эти сплетаются в неразъемную сеть политического, экономического, этнического, психологического и всех прочих аспектов исторического процесса — это историку редко надо. Почти никогда. Почти никому.

Историк стремится к максимуму фактов при минимуме их объяснения. Он не аналитик, он собиратель. Факты склеиваются между собой или чисто хронологически, или слюной пропаганды и школьного учебника. Злодей, завоевание, передовая экономическая формация, централизация хорошо, дробление плохо, борьба за свободу и независимость, прогресс, развитие культуры, упадок цивилизации. Мы и они, союзники и враги.

Если историка призвать в аналитическую разведку — его уволят с понижением в чине. За уклонение от ответов на принципиальные вопросы:

Это сделали — зачем? Почему? Для чего? Исходя из какого замысла? С какой конечной целью? Кому это было изначально выгодно? Кто от этого выиграл в результате — и что выиграл? Кто проиграл — и что проиграл?

Что было причиной этого события? Кто был зачинщиком? В чью пользу это было направлено? А кому во вред? Чьи интересы замешаны?

А что происходило одновременно с этим событием? А как связано данное событие с другими заметными событиями этого периода? А влияние каких факторов сказались на запуске этого события?

Материальные интересы конкретных лиц, их честолюбие, амбиции, личные и карьерные планы — как сказались на ходе дел?

И посчитайте, пожалуйста, каждый поворот решений, каждый поворот дел на несколько основных возможных вариантов. И каждый вариант — на несколько ходов вперед, будьте так любезны. И с каждого хода вперед — несколько основных возможных следствий.

Тогда вам придется влезть в шкуру всех главных участников этого исторического события. И увидеть мир их глазами. И страстно проникнуться их интересами. И постичь мир через их ментальность и их представления о сущем и должном.

Вот я и говорю, тогда можно что-то реально понять... А не паковать факты в позорно примитивную трактовку, не грузясь особо смыслом и правдоподобием.

Суть событий

Тохтамыш покарал мятежную Москву с литовским князем во главе, Дмитрий вернулся в нее и получил ярлык Великого князя.

Злая память

Сколько раз русские князья, начиная с Александра Невского, призывали на помощь ордынскую конницу, чтобы привести в покорность соседей и подданных?

Детализация процесса

Великие князья Суздальский и Рязанский поддержали Тохтамыша. Первый послал к нему своих сыновей, второй встретил лично, подтвердил покорность и указал речные броды. Их владения остались нетронуты.

Отряды татарской конницы покарали и разграбили Серпухов, Звенигород, Переяславль, Юрьев, Можайск, Рузу, Коломну, Боровск, Дмитров. Об организованном вооруженном сопротивлении этих городов ничего не известно. Известно лишь о случаях бегства жителей.

Противостояния татарам со стороны удельных князей с дружинами также не зафиксировано.

Храбрый двоюродный брат

Кроме одного случая. Летописцам есть чем гордиться.

Владимир Серпуховской по прозвищу Храбрый, двоюродный брат Дмитрия Донского, женатый на дочери Ольгерда Литовского, выступил не в пример другим геройски. Под Волоком Ламским он разгромил татарский отряд, после чего Тохтамыш спешно ушел с Руси.

«Разгромив захватчиков огнем своей артиллерии, мирный советский трактор развернулся и улетел пахать родное поле дальше.»

Летописное свидетельство подобно посадке зерна истины. Даешь один ответ — и из него вырастает десять вопросов. Нелегко формировать историю в соответствии с идеологической установкой власти.

Во-первых, свой родной Серпухов Владимир дал разграбить беспрепятственно.

Во-вторых, в Волоке Ламском сидел тогда собственный князь — Василий Березуйский. И какие-то меры уж наверняка предпринимал. Владимир сел там на десять лет позднее.

В-третьих, как страшно испугался хан Золотой Орды, восстановивший ее огромное единство и уничтоживший Мамая, стычки своего отряда с удельным русским князем.

В-четвертых, численность участников боестолкновения тактично умалчивается.

В-пятых — почему Владимир Храбрый не в Костроме, где Дмитрий собирает войско для отражения Тохтамыша?!

В-шестых, в-шестых, в-шестых! Главная резиденция Серпуховского князя располагалась в Москве! По завещанию своего дяди, Ивана Красного, племянник Владимир получил судебную и финансовую власть над $^1/_3$ Московского посада. И он — герой Куликовской битвы, вместе с Боброком командовал Засадным полком! Вот кого надо москвичам звать к себе — возглавить оборону, когда нет Дмитрия! Да и звать не надо — живет он здесь!

Почему Владимир покинул Москву? Почему он не с Дмитрием в Костроме? Почему он дал сжечь родной Серпухов — и почему не дома, а под Волоком Ламским что-то сделал против татар?

Восстание!!!

Вот мы и добрались до сути нашего повествования. На долгом необходимом пути увидев массу событий, героев, тайн и интриг. Чтобы ощутить дух эпохи, коснуться связей и страстей и въехать в нее.

В Москве произошло восстание против Великого князя Дмитрия. Он обратился за помощью в метрополию, к Тохтамышу. Татары подавили восстание и ушли. Дмитрий вернулся в Москву и продолжал править.

И тогда все концы сходятся. И все делается понятным и логичным.

В бунте нет ничего удивительного и исключительного. Бунтовали всегда, везде и против любой власти. Иногда.

Как правило, было с чего бунтовать.

Бояре

Упразднение должности тысяцкого взволновало и раскололо боярство. Враги Вельяминовых могли радоваться. Но при этом — раньше Вельяминовы вынуждены были считаться с боярством хоть как-то. Сами такие. Князевы же назначенцы на бояр плевать хотели. Приказы Великого князя подлежали обсуждению только с одной стороны: как их верноподданней одобрить и лучше исполнить.

Боярство опустили. Самых знатных собрали в Думу, а Думу превратили в цирк клоунов: сидеть и позорно соглашаться. Демонстративное лицемерие унижало: якобы от Думы что-то зависит — а на самом деле фамилии знатных родов как «советчики-одобрители» лишь придавали легитимности любым княжеским начинаниям.

Бояре перестали быть реальными государственными мужами. Наступило единоначалие.

А уж казнь Ивана Вельяминова с конфискацией родового имущества в казну — наполнила ненавистью и страхом. Великому князю законы не писаны. Может отобрать отчее — это когда слыхано... а может отобрать с головой! Это что — запрещает идти в службу к другому князю? Это что — он себя над нами и потомками нашими вечным хозяином ставит?.. Ишь чего удумал.

Нужен боярам такой князь? Сами ешьте.

Купцы

Недаром ведь Некомат Сурожанин ездил с Иваном Вельяминовым к Тверскому Великому князю. И недаром была с ними группа бояр и купцов московских. И недаром деньги были плачены Тохтамышу в Сарай, чтоб ярлык передать Михаилу Тверскому, что и произошло.

А деньги промеж тех дел ходили немалые. Огромные ходили деньги. В нынешнем эквиваленте сходные с государственными займами, которые мерятся от миллиардов долларов. Лоббируется предприятие важных государственных масштабов.

А кто те деньги давал-собирал? Купеческие денежки на дело пошли. А зачем тут иначе купцы нужны? Купцы — сословие торговое, денежное. Некомат — из богатейших, и с ним вряд ли голодранцы. Олигархи в политику наведались.

Новая метла чисто метет, такое ее свойство. И там норовит мести, где больше вымести можно. Замена тысяцкого с его аппаратом на княжью администрацию с ее государевыми людьми — это административно-хозяйственная реформа. А реформаторыисполнители — искушения золотом не выдерживают, не бывает у них такого геройского качества. Государев администратор — жаден, ненасытен, ухватист: легок на хапок, он быстрей-быстрей богатство себе сколачивает. С административного ресурса богатеет.

А у кого деньги брать? У кого есть. А у кого они есть, желанные да серебряные, пуще того золотые? Да прежде всего у торговцев, мастеров наживы, охотников за прибылью, хранителей кубышек.

Обложим купца новыми налогами. Соберем да выжмем новые подати. Хватит воровать и за спины княжьих дружин от опасностей прятаться. Ты за защиту своей мошны нам по жизни должен! Плати, сучьи дети, Великому князю на великие дела!

Короче, бизнес был недоволен, что его кошмарят.

М-да, а воровали-то — пардон, зарабатывали — так: за рубль налога Орде сдирали с жителей три рубля! Из трех два прилипали к рукам администрации и перекочевывали в их карманы. Ну, и наверх передавали, само собой. Великому долька не малая, а великая полагается. Государственная пирамида вызолочена ворами за счет налогоплательщиков — это завсегда, не сумлевайтесь, обычай такой.

Зачем меняют глав администрации? Прежде всего — чтоб перенаправить и увеличить денежные потоки точнее в свои карманы. Какая задача ставится новой администрации, этой свежей метле? Повысить собираемость налогов, «более лучше обеспечить наполняемость бюджета».

В азиатской модели абсолютизма купцы — это губки, которым дают пропитаться золотом, чтоб после выжимать в пользу монарха. Купца не охраняют родовые права и традиции. А модель у нас как раз азиатская. Какая ж еще.

И на хрена купцу такой князь с его беспределом?

Церковь

Чтоб было понятней, чем являлась церковь — вспомним, что еще четыре года назад был жив великий митрополит Алексий. Реальный правитель Руси. Тот, что грозил ростовскому князю анафемой, если не признает старшинство Москвы. Тот, что сажал при княжеских столах своих епископов, ставя задачу духовного контроля над князьями. Чтоб помнили: власть есть от Бога! И подчиняться ей — долг перед Богом! Тем велика Москва и едина земля Русская! А строптивость и неповиновение есть грех, ересь, и гореть отступнику вечно в Геенне Огненной без покаяния.

И такова была власть особ духовных, что когда Нижегородский стол занял не по старшинству Борис, младший брат Дмитрия Суздальского (отца Евдокии, жены Д.Донского) — прибыл туда Сергий Радонежский. Улаживать конфликт и усовестить такого князя. Не преуспев добрым словом — он взял и закрыл все церкви в Нижнем Новгороде. Народ вознегодовал. Сергий объяснил и указал виновника. В конце концов Борис освободил место.

Так почему Дмитрий Донской по смерти Алексия и по итогам церковных распрей — сделал выбор: митрополита Пимена посадил за решетку, митрополита Дионисия прогнал в бега, а митрополита Киприана в конце концов пригласил в Москву на должность? Почет, уважение, полная церковная власть.

А по двум причинам. Первая — чужой Киприан в Московии, родом с Балкан, не то болгарин, не то грек, эти понятия у нас тогда путались. Не укоренен он в здесь, родни и друзей не имеет, опираться ему не на кого. Единственная ему поддержка и опора — Великий князь. Что и требуется. Не будет своевольничать, не скажет поперек, не сможет гнуть нежелаемую князю политику. Полностью зависим.

Вторая причина подкрепляет первую. Ярлыка на должность митрополита от ордынского хана Киприан не имеет. С точки зрения Орды — митрополит нелегитимен. Врио — временно исполняющий обязанности. Князь всегда может заменить его любым из двух оставшихся митрополитов, оба с лицензией от Константинополя. И Сарай возражать не станет — ему один черт, он этого митрополита Всея Руси, провинции своей северной, не утверждал. Пусть русские священники сначала меж собой разберутся.

И вот милая картина. Сергий Радонежский, любимый ученик Алексия, который чаял видеть его своим духопреемником — не митрополит и от политических рычагов отодвинут. Митрополиты заключенный Пимен и невозвращенец Дионисий Дмитрия ненавидят, и у каждого есть друзья и сторонники. Епископам и архимандритам, всему православному духовенству явлено, что на мнения их плевать, уважать их Великий князь не собирается и помощь их ему не нужна.

Вопрос: нужен церкви такой князь? Видела от него она чего хорошего? Отблагодарил ли он церковь за все, что она для него десятилетиями делала, собирая и скрепляя Великое княжество Владимирское и Московское? Да за то уже, что она Великое княжение сделало наследным в его роду?

Грех неблагодарности тяжек. Грех неуважения к Церкви Господней — тяжек. Грех гордыни — тяжек.

Есть мнение, что не снести Дмитрию, Иванову сыну, тяжести грехов своих. И удел власти духовной — поправить заблудшую власть мирскую.

А не вышвырнуть ли нам этого наглого щенка вон? Он что решил: что государство — это он? Всмотрись лучше, милый. Государство — это мы.

Народ

Народ безмолвствует. Но если скажет — так скажет.

Пипла хавает. Но если подавится — сплюнет много.

При любых реформах жизнь простонародья ухудшается. Кадровые перестановки ведут к временному снижению эффективности управляемости и хозяйствования. Снижение экономической отдачи власть компенсирует увеличением поборов с мест.

Короче, чтоб ты жил в эпоху реформ.

Реформы вызывают психологический дискомфорт — если направлены не на улучшение жизни народа а на укрепление верховной власти и обогащение административной пирамиды, как чаще и бывает.

Простонародье отличается низким образовательным и материальным уровнем. Повышенной внушаемостью. И неспособностью сформулировать и высказать свои претензии. Терпит до последней крайности — а сверх нее взрывается.

Информацию простонародье черпает из слухов и сплетен. А также от авторитетов. Авторитеты — это священники, и это богатые. Они больше знают и больше понимают.

Ухудшение положения требует объяснений, поиска причин. Если священники и купцы недовольны — они объяснят и обоснуют справедливость недовольства народного. Подогреют и направят. Растопка высохла.

А на что платим подати? А потому что Орда требует.

А на какие деньги князь роскошествует? А на наши.

А точно ли он отвозит налог в Орду? А если собирает — да себе и оставляет? А говорят — не платим мы царю Тохтамышу после Мамаева побоища...

Есть сведения, что Великий князь Дмитрий Иванович два года после битвы не платил налоги в Орду. Но нет сведений, что в это время он не брал налоги с населения. То есть точно собирал, иначе жить не с чего и госаппарат содержать. А вот в каком объеме собирал — вопрос отдельный. И кто там выгонял себе какую статусную ренту — это вообще нетактичный вопрос, непрофессиональный; эти сведения и при жизни не рвутся опубликовывать.

А вдобавок реформы проводились на фоне сплошных войн и потерь кормильцев.

И вообще несправедлив князь — с тысяцкими и митрополитами разве так можно?

Нет-нет — жить надо не так, должен быть справедливый порядок и достаток. У других князей разве так живут? Мы что — хуже всех, что ли?

Основания для недовольства и желания улучшить свое положение у народа были всегда. Но надежда появлялась редко! А вот если и другие сословия недовольны, и говорят, что всем миром улучшить жизнь можно, поправить как-то — тогда надежда, как дрожжи, дает рост бунтарским настроениям, и сдерживаемое вечно негодование делается нестерпимым.

Изгнание Великого князя?

Так чего помчался Дмитрий — вон из Москвы? В Кострому. Войско собирать. Ну — и где то войско? Много ли собрал? И чего оно сделало? И где следы того войска зафиксированы?

Ага: работал на даче с документами.

Жену с детьми в Москве бросил: ничего, стены крепки, не возьмут татары Москву. А сам чего ж не остался оборону возглавить?

А чего это Дмитрий ни в какие контакты с Тохтамышем не вступал — а после его ухода восвояси Дмитрий въехал обратно в Москву?

А чего это Тохтамыш, прибыв усмирять непокорную Русь — даже не поинтересовался встречей с вождем этой непокорности, Великим князем сепаратистской Москвы?

А напротив — ярлыком на великое княжение пожаловал? Мятежника! За что?..

Ой лукавят летописцы. Ой скрывают то, чего не велено было говорить. А то пишут, что позволено и указано. И вместо объяснений — пропаганда для умственно невзыскательных современников и потомков.

Больше честности, граждане. Заврались мы.

Если вы чего-то не понимаете — значит, от вас что-то скрывают.

Все события в жизни имеют простые основания и ясные объяснения. На уровнях психологическом, экономическом, социальном и политическом. На каждом из этих уровней работал простой причинно-следственный механизм. И у людей были свои интересы, замыслы и стремления.

Не хотел никто Дмитрия. Не за что любить его было. Никого он своим правлением не осчастливил. Никого за добро не отблагодарил. Властен был, жаден и жесток. Единоличную власть установил. Права элиты ограничил. Народ на войны гонял и новым начальством придавливал.

Кому он угоден? А никому не угоден.

Гнать такого князя. Не по правде правит, не по закону.

Выгнать из города, а семью в заложниках оставить. Мало ли чего.

Кого призвать в князья?

А поскольку без князя нельзя — призвать другого. Нормального. Чтоб правильный порядок соблюдал. А кого?..

Своих удельных князей звать нельзя. Они под Дмитрием ходят. Побоятся против него выступить, и правильно побоятся. Он на свою сторону других князей привлечет, и вернет себе власть.

Тверских? Рязанских? Суздальских? Во-первых — худородных нельзя. Во-вторых — если призвать великих, так это просто войти всей землей в чужое великое княжество. А с ними, знаете, у нас свои отношения и свои распри; чужие они все-таки.

Нет: Московское княжество надо сохранить своим, независимым, чтоб все на своих местах остались. А с другой стороны — чтоб поддержка была, помощь в случае чего.

А чем плохо было бы уйти в Литву? А вот ничем не плохо...

Уйти в Литву

Великое княжество Литовское, Русское, Жемайтское и прочая — почти все православное и, как сказали бы сейчас, русскоязычное. Русские в полном большинстве. Русь Черная, Белая, Малая, Червонная. Оттуда Русь пошла, там исконные русские земли — Киев, Чернигов, Новгород-Северский, Полоцк, Курск. Русь тамошняя куда больше, многочисленнее, богаче, чем Русь Залесская, Северо-Восточная, ордынская, подтатарская.

Справка: площадь Великого княжества Литовского на тот момент — около 900 000 кв.км. Это в полтора-два раза больше крупнейших современных европейских государств — Франции и Испании. Общая площадь Великого княжества Московского тогда же — около 70 000 кв.км. плюс к ним столько же белозерских и галич-мерских глухих лесов.

Справка: правовая структура Литвы была построена по нормам древнерусского права, на которые оказали влияние нормы византийского гражданского и уголовного права.

Житье там чуть, да вольнее; чуть, да богаче. Там не заведено татарскую конницу призывать для усмирения непокорных. Налога ордынского там нет, редко-редко Литва откупается данью от Орды.

Родственники

Великий князь Литовский, Русский, Жемайтский и прочая Ягайло был русский. Он сын Ольгерда и тверской княжны Юлиании, дочери Александра Тверского. И внук Гедимина, который тоже был женат на русской; причем неоднократно. То есть Ольгерд был русским наполовину, а Ягайло на три четверти.

И князья тамошние, гедеминовичи и ольгердовичи, нам не чужие. Вот жена Великого князя Московского и Владимирского Симеона Гордого, великая княгиня Анастасия, тридцать лет как от чумы померла, а была дочь Гедимина. Князья Андрей Ольгердович Полоцкий и Дмитрий Ольгердович Брянский бились вместе с нами против Мамая на поле Куликовом.

Ольгерд был и другим браком женат на русской, витебской княжне Марии Ярославне. И дочь его Мария Ольгердовна вышла замуж за Городецкого и Нижегородского князя Бориса (того самого, что препирался с Сергием Радонежским).

А и отец Ольгерда, великий Гедимин, женился после русской княжны Евы на русской же Ольге, дочери князя Всеволода Смоленского. И дочь их, Мария Гедиминовна, стала женой Великого князя Тверского Дмитрия Грозные Очи.

Племянник Ольгерда, великий Витовт, был женат на русских княжнах дважды: на Анне Святославовне, дочери князя Смоленского, и на Марии Андреевне, дочери князя Стародубского.

Родная кровь! (Если проследить развитие — знаменитые княжеские фамилии Трубецкие, Хованские, Голицыны, Куракины и бесконечный ряд имен помельче — все это гедиминовичи по разным линиям и в разных коленах.)

И если Андрей Ольгердов сын сейчас уже второй раз сидит князем во Пскове, а брат его Дмитрий княжит в Переславле-Залесском — почему не призвать к себе Остея, Ольгердова внука?

Обоснованный выбор!

Он из Гедеминовичей. Мы с ними в родственных связях.

Род достойнейший, великий.

Сам Остей молод и себя ничем особо не проявил. Мудрые старшие наставники из бояр и архимандритов ему помогут властью распоряжаться.

И заходить надобно всем Московским княжеством под литвинскую крышу. Самим не устоять. В который раз Рязань пойдет свое отвоевывать, Тверь и Суздаль наперегонки бросятся в Сарай за ярлыком на Великое княжение Владимирское и Московское, Литва со своего края на зуб нас давно пробует. Да и новый Ордынский царь, леший его ведает, что может сказать и затеять. А с Литвой мы — сила. Ежли чего — от любого отмахаемся. И будем жить нормально, как все.

Имя — это политика

Вообще-то Ольгерд, Великий князь Литовский, Русский и Жемайтский был крещен, и в крещении имел имя Александр.

Сын его, Великий князь Ягайло, первоначально на самом деле при крещении получил имя Яков. Много лет спустя, перейдя в католичество ради присоединения к государству польской короны, стал именоваться Владислав.

Великий князь Витовт, легендарный государь и двоюродный брат Якова-Ягайло, крещен был как Александр.

И так далее.

И хотя для русской исторической ономастики характерно обозначение человека именно по христианскому имени (также при наличии нескольких) — иногда делается намеренное исключение. И диктуется это исключение всегда политическим отношением. Имя в истории — это опознавательная система «свой — чужой».

Великие князья Александр и Владислав — это вроде свои, русские. А Ольгерд и Ягайло — чужие; нерусские.

Русские историки умышленно старались скрыть культурное и этническое тождество Великой Западной Руси и Северо-Восточной Ордынской Руси. И более того — культурное, политическое и экономическое доминирование Западной Руси в XIV–XVI веках.

Но жившие тогда люди знали всю эту правду как нечто естественное.

...Государство наше — из Орды. А народ-то все больше из Литвы...

Рокировка

Выгнали вон Дмитрия. Вот тебе, княже, Бог — а вот порог.

Поглумились над семейкой. В заложниках оставили — чтоб не учудил князь чего злого. Ежли чего — дети твои ответят с женой. А потом размякли. Дали себя уговорить — выпустили. А жизнь показала — и правильно оставили, и зря выпустили!

Митрополиту объяснили, что не надо нам греков, а хоть и болгар, свои есть, которых наши батюшки выбрали, тех и хотим? Э, нет. Митрополит Киприан сам Дмитрия ненавидел: он бы еще народ против него подзуживал. Хитер был матерый Киприан: понял время оставаться в Москве — понял и время бежать из нее...

Вооружились люди чем было, и оружные стали на охрану городских ворот.

Собрали вече. Высказали все, что на душе копилось.

И приговорили звать князя Остея. Народное волеизъявление определилось.

Выбрали группу лучших людей в посыльные за ним.

Ну, и стали пока гулять. Не все купцы да бояре на Москве остались — которые и уехали от греха. Толпе море по колено — кого дома нет, тем и добром поживиться проще; и даже чего ж не поживиться! И выпить, как полагается: дверь в погреб подломил — и пей боярские вина, запивай купеческими; пришел и на нашу улицу праздник, все люди сладко пожить хотят.

И приехал в Москву избранный князь Остей.

Что делать изгнанному князю?

Необходимо взять ситуацию под контроль. Вернуть себе Москву.

Нужны внутренние войска. За неимением внутренних — годятся любые. А где взять?

Где верный воевода Боброк? А не досвищешься. Ни слуху, ни духу. Явно нет славного Боброка рядом с Великим князем в этот трудный час. А ведь точно жив! Значит — не хочет быть рядом. М-да.

Может ли изгнанный Дмитрий обратиться за помощью к другим русским Великим князьям — Тверскому, Рязанскому, а хоть и Суздальско-Нижегородскому родственнику? Да, и очень их этим обрадует. Любви и дружбы они видали от него бесконечно. И очень даже удачный момент порвать его княжество на куски, получить в Орде ярлык, а сам Дмитрий преставится от колики в животе или расшибется, упав с коня.

А своих удельных с дружинами собрать может? То ли да, то ли нет. Им на фиг не нужно за него выступать. Это его внутренний вопрос. Они свои уделы в повиновении держат — он пусть со своими людишками разбирается. Нам что — против церкви идти? Или против купечества? А у нас-то с ними какие разногласия? Ссоришься с народом — сам и расхлебывай.

Нет такой статьи в законах, что удельные князья обязаны наводить порядок в отчине Великого князя.

Но! Попробуем дипломатию. Закапать мозги людям то есть. Объявим военный поход. На Литву! Воссоединить оторванные части русского мира.

Ягайло сейчас воюет под Тракаем, как раз на другом конце Литвы, на западе, в тысяче верст от Москвы. А мы с востока свое и возьмем.

Тут возражать трудно — князья обязаны участвовать со своими дружинами.

А чего там у тебя в Москве, вроде люди говорят (могут спросить князья)? А, ерунда, москвичи часто бузят, денег в городе много. Придем с добычей из похода — они праздник и устроят.

Собирается войско. И Дмитрий ставит задачу. В поход на Литву, за правду и веру. Но сначала — мелкая подсобная работа. Зайти в Москву и показать смутьянам силу, зачинщиков накажем, выпьем-закусим и пойдем на Литву.

Вот тут и происходит так называемый бунт войска. Войско хором и с князьями во главе реагирует на предложение: да пошел ты!.. Грабить, значит, нельзя, жечь, резать и насиловать нельзя — свои, понимаешь. Беречь, понимаешь. А если «свои» дубиной по башке огреют — это ничего. Нет, милай. У Москвы есть свое войско — вот ему и вели бунт давить.

Тем временем доходит весть, что склоняющегося к Москве литовского князя Кейстута Ягайло удавил, уже и погребальный костер отпылал. И если грозный Ягайло всей силой двинет на Москву, которая под шумок чего-то отгрызла, то мало нам не будет никому.

Войско возмущено гнилой и подлой ситуацией. И подчиняться Дмитрию более не желает. Их цинично кинули. Это он чего же удумал, а, хрестьяне?! Пусть держит Великий князь, которого из собственного города прогнали, ответ перед обществом!..

И Дмитрий поспешно сбегает от взбунтовавшегося войска.

Все пропало. К церкви, купечеству и простолюдинам присоединилась армия. Больше отвергнутому лидеру надеяться не на кого.

Вот тебе и единство русского народа, ага.

СОС

А и великий князь не сам по себе. Пока удача ему в руки идет — он гордый и сильный, всех на колене вертит. А как экономический кризис и политическая нестабильность — вспоминает, что стоит над ним денно и нощно могучий американский Госдеп... что? о Господи! совсем вы меня запутали с этой вашей патриотической историей. Я имел в виду — Золотая Орда и царь наш, ныне — великий хан Тохтамыш, ну, вы поняли.

Неудобно, конечно, когда топ-менеджер не может решить свою проблему на уровне собственной компетенции. И вынужден обращаться к владельцу фирмы. Это понижает его авторитет, колет самолюбие и отрицательно сказывается на будущем: самостоятельность уменьшится, круг его полномочий начальник безусловно сузит. Но что делать!..

В конце концов, монгольскую конницу вызывал для решения внутренних проблем еще Александр Ярославич. Который Невский. И ничего. Стал святым. Позже.

Дмитрию Ивановичу жизнь не оставила выбора. Он тоже хотел славы и величия. Он позвонил Тохтамышу... нет, А.Г.Белл запатентует телефон через пятьсот лет. Дать телеграмму тоже было еще нельзя. Можно было только послать гонца с письмом, или группу гонцов, или несколько групп. В ставку хана, в Сарай-Берке.

Дорогой и великий царь! Меня выгнали из дома. Никто не хочет слушаться. Кругом предатели. А ведь я – твой верный слуга! Кровь проливал на поле Куликовом, Мамая разбил, помог тебе всем, чем мог. Так прошу теперь твоей помощи — твоего же блага ради. Войска пошли своего хоть несколько тысяч. Чтоб наказать бунтовщиков и вернуть порядок в твоей державе. Только скорей, а то они под Литву уйти удумали! А уж дальше я за всем присмотрю, не волнуйся. Век буду тебе обязан! Отслужу чем прикажешь, ты мне отец родной. Твой беклярбек Дмитрий челом бьет.

За текстологическую точность мы не ручаемся. Но смысл послания именно таков. Это крик утопающего о помощи!

Как Дмитрий собирал войско в Костроме

В Костроме Дмитрий укрылся в Свято-Троицком Ипатьевском монастыре. Позднее жена с детьми к нему присоединилась.

Основан был тот монастырь татарским мурзой Четом, в крещении Захарием. От него пошли боярские роды Годуновых, Вельяминовых и Шеиных. Символично, да?..

Ни в каких действиях по сбору войска в Костроме Дмитрий замечен не был. Оставил Кострому, когда Тохтамыш подавил бунт.

По сохранившимся сведениям, Дмитрий вернулся в разоренную Москву после ухода Тохтамыша.

Никаких сведений о контактах Дмитрия и Тохтамыша в связи с московским набегом не сохранилось. Следующие известия: Дмитрий получает от Тохтамыша ярлык на Великое княжение и посылает в Орду заложником старшего сына Василия. (Ярослав своего сына Александра, будущего Невского, тоже в Орду отправил, с сыном Батыя брататься; и ничего, о страданиях там Александра никто даже не заикался.)

Это беспрецедентное поведение Великого князя! Он бросает княжество и войско, сбегает в приближении врага и сидит в укрытии, пока враг беспрепятственно режет его людей и жжет его города, поганит церкви и грабит добро.

А потом возвращается и, будучи в милости сильного врага, правит дальше.

Вы верите в этот позор? А в эту логику?

Бросьте, товарищи. Тохтамыш спас Дмитрия от его народа, подавил восстание и сказал: «Ну, возвращайся. Правь дальше».

Войска быстрого реагирования

Если Тохтамыш шел пограбить и подчинить Русь по собственному усмотрению — он подготовился к походу и выбрал время сам. А именно:

Разведка провела рекогносцировку маршрута. Оценила качество городских стен, которые предстоит брать, если жители не сдадутся. Наметила броды и удобные переправы. Хан вышел из столицы в степь, собрал силы, обеспечил обоз, приготовил осадные машины со специалистами. Двинулся по ордынской и ничейной пустой степи к той границе русских княжеств, что ближе к Москве. И когда скрыть движение войска станет уже невозможно — рвануться к Москве форсированным маршем, на полной скорости. Конный авангард — вперед! Не останавливаясь, не отвлекаясь, убивая всех встречных, чтоб весть не обогнала. Два дня — и мы в Москве! А если какая накладка — через неделю наши тараны выбивают ворота, а катапульты рушат края стен огромными камнями.

Но. Почти все источники указывают, что Тохтамыш двинулся не из Сарая, а из Волжской Булгарии. Он начал движение из ее центра — города Булгара. Что неудобно и нелогично как исходная позиция для похода. В Булгарии Тохтамыш занимался булгарскими делами. Это первое.

Второе. У него не было средств для переправы войска на другой берег Волги. Татары срочно захватили для этого все суда, что смогли. Заметьте — а чего они оказались не на том берегу?

Третье. У них не было при себе никакой осадной техники. Только легкая конница. Да и той не слишком много. По подсчетам ученых — и одного тумена не наберется. Три-шесть тысяч.

Четвертое. Имея время и предварительный план, они спокойно могли двинуться из Булгара на юго-запад — затеряться в бескрайней степи. И далеко обогнуть русские земли. Обошли бы Рязанское княжество с юго-запада и вышли через Тулу в 180 верстах от Москвы. На второй день броска через русские территории конница достигает цели. Легкой стремительной конницей, неуловимой в степи, убивая встречных и не давая вести обогнать себя, они бы обнаружились только на русской земле. Когда готовить оборону против них было бы решительно некогда. На голову бы свалились!

Пятое. Но татары убивают всех русских, случившихся в Булгаре и окрестностях, купцов и прочих гостей, чтоб весть об их походе не успела прийти на Русь прежде них. И движутся кратчайшим путем — на Запад. Это он по прямой от Булгара до Москвы кратчайший — а проход его по русской земле до Москвы как раз наоборот: длиннейший. От самой дальней границы Руси через всю территорию — в длину! Сквозь Нижегородские земли и через все Суздальское княжество до Московского. Из девятисот верст пути более пятисот ложится через русские земли, где скрытность конного корпуса не может быть надежно обеспечена даже его скоростью.

Суздальский князь шлет Тохтамышу посольством двух своих сыновей — так они не поспевают за татарами, еле догнали. Рязанский князь выезжает засвидетельствовать почтение — и броды войску на Оке указывает; сами татары не знали, не успели узнать.

Это вот так опытный политик и полководец наводит административный порядок в провинции, отбившейся от рук и пробующей не платить налоги, пока метрополии недосуг за кучей дел? Э нет. Так мчатся по спешному делу, бросив все и захватив с собой бывшее под рукой. Так пожарные на пожар едут. Так по боевой тревоге несутся на позиции, по ходу одеваясь и забывая шапки.

В страшной спешке понесся Тохтамыш к Москве. И не было это предварительно умышленным и подготовленным карательным походом.

(Ряд источников полагает, что Тохтамыш пологой дугой обогнул Нижний и Муром с юго-востока и вошел в стык Муромского и Рязанского княжеств, прямо двинув на северо-запад, на Москву. Но и в этом случае по русским землям остается пройти 400 верст.)

Лошадиная сила

Выше я писал, что при езде одвуконь неспешной рысью по 15 км/час, по пять часов на каждой из лошадей, десять часов в седле, что для природного конника в течение недели-двух нормально, суточная скорость составляет 150 км в сутки. А хоть и 200. Гонец и 300 верст делал на сменных.

Замечание первое. Монгольского коня, не способного на высокую скорость, длинные прыжки и большую вьючную нагрузку, мелковат он, нельзя ровнять с обычными для Европы конями по выносливости. Он неприхотлив и вынослив до неправдоподобия. Я полгода на таком ездил по степи и сопкам, и все не мог понять, что же мне вкручивали в ленинградской школе верховой езды насчет чистить, отдыхать, выводить и прочее: он и так отлично себя чувствует.

Замечание второе. Скорость размеренного конского шага — 7 км/час. И идти таким шагом монгольскому коню 4 часа с седоком, а 4 налегке — это просто естественный образ жизни. Итого: 55 км в сутки — это минимум того, что может проходить легкая конница без обозов по более или менее ровной земле лугов, леса, холмов. Расслабленный и в спешке даже неоправданный минимум. Умножь на 10–11 часов — будет 75 км в сутки. И это тоже щадящий для недельного форсированного марша режим. Добавляем время на переправы и неудобья. 60 км в сутки отдай и не греши — ну медленнее уже просто некуда. Это — шагом. И если ковырять в носу и подремывать.

Да по 40 верст в сутки пехота всю жизнь ходила с античных времен! По 110 верст в сутки конница на маршах в Гражданскую войну делала!

То есть. 500 верст по русской территории можно пройти за 3 дня, если реально гнать коней. За 4 дня, если не мешкать и поторапливаться. За семь дней, если ехать вовсе не торопясь, шагом, размеренно-ежедневно. Больший срок означает, что таки уже никто никуда не торопился.

Если же пути 400 верст — и того быстрее.

А Тохтамыш сильно торопился.

Избирательная кара

Татары не чинили никакого зла Великому княжеству Суздальско-Нижегородскому. И Великому княжеству Тверскому. А также Великому Рязанскому (об его несчастьях — отдельный сказ).

Удельное княжество Ростовское, а равно княжество Ярославское с его собственными уделами от татар не пострадали и вообще их не видели.

Также каратели не заинтересовались Новгородской Республикой и Псковским господарством.

Подход их был сугубо дифференцированный, никаких огульных обвинений.

Они конкретно не одобрили Великое княжество Владимирское и Московское. И наказали его согласно этике и политике текущего момента, то есть конца XIV века.

Виновные и наказанные

Ничего личного — это только бизнес.

Не пострадал ни один — н и о д и н — князь. Ни удельный, ни тем более великий.

То есть. Положение дел в Московском княжестве, которым Тохтамыш был недоволен, не рассматривалось как акция государственного неповиновения. Как непокорность региональных властей центральной власти. Как строптивость местного административного аппарата, который надо перетряхнуть и отремонтировать, чтоб он не наломал дров и впредь не выходил из-под контроля.

Происшедшее расценивалось как неподобающее поведение подчиненных, масс, народа. Как отказ населения подчиняться местной администрации. Как тяжкое преступление, предательство — не исполнять свой вассальный долг перед законными повелителями!

Вот он и вырезал-разорял города и округи. Это естественно и закономерно — Великая Яса утверждала коллективную ответственность за преступления (как люди, кстати, всегда практически и полагали).

Не забудем, Тохтамыш был в своем государстве. То есть в своем праве карать преступников. Его вассалы не сумели справиться с мятежными подданными. И обратились к своему царю. К нему, хану Тохтамышу.

Он пришел, покарал предателей, восстановил порядок. А князей наказывать не за что. Слабы? Есть такое. С другой стороны — это и хорошо. Злоумышлять против него не посмеют. Зато — верны, преданны. Без него их сожрут и выбросят из уделов? Отлично! — будут знать, кому обязаны положением, за кого держаться надо.

А виновных наказывать так, чтоб в их потомках страх сидел! И то сказать — много лет после акции Тохтамыша, пока жила Орда как держава, Москва против и умышлять не смела.

Недаром Тохтамыш прошел школу Тамерлана. Набрался государственной мудрости. (Как жаль, что головокружительная судьба Тохтамыша, его походы на грозного его благодетеля Тамерлана и последовавшие разгромы, его бегство в Киев к Великому князю Литовскому и Русскому Витовту и совместная их авантюра по возвращению его на Ордынский престол, и многое, многое другое остаются за рамками нашего повествования, которое могло бы стать бесконечным!..)

Война и церковь

Отмечалось часто и давно. Монголы очень терпимо относились ко всем религиям и уважали всех священнослужителей и жрецов. Как Великая Яса и заповедала. Чингиз справедливо полагал, что пути всех вер ведут к Единому Богу Неба. (Хан Узбек ужесточил подчинение монголов через обязательное приведение их в ислам — но это другая история.)

И только в московском набеге Тохтамыша 1382 года этот незыблемый закон демонстративно нарушался. Церкви грабили и оскверняли, священников убивали. Что стряслось?

Митрополита Киприана москвичи из города все-таки выпустили. Он бежал в Тверь и укрылся там.

Сергий Радонежский (!) поспешно покидает свой Троице-Сергиев монастырь и находит убежище в той же Твери, у того же Великого князя Тверского Михаила.

Долгие десятилетия московская православная церковь была опорой Орды в Московии. Митрополит Алексий, фактический правитель Русского улуса Орды, был Орды решительным сторонником, понимая ее стабилизирующую и государствообразующую роль. Орда благоволила православной церкви, освободив ее от всех налогов и дав независимость от светских властей. Мир-дружба! Так в чем дело?!

Стало быть, Тохтамыш церковью недоволен. Конкретнее — деятельностью церкви в Великом княжестве Владимирском и Московском. А в чем она может провиниться?

Или не сумела воздействовать умиротворяюще на души бунтовщиков. Но тогда можно ждать, что она пожалуется прибывшей Орде на бунт и непослушание. В любом случае попытается отмежеваться от смуты. Могут вникнуть в положение и не карать. Подобно князьям земным: их ведь никак не наказали.

Или противодействовать бунту словом Божьим и своей властью над душами — церковь не захотела. Тогда ее могут счесть соучастницей коллективного преступления. И подвергнуть коллективной ответственности. Неоказание помощи законным властям — преступно. Великий князь и стоящий над ним хан — законная власть. Хан — гарант налоговых свобод церкви и ее независимости от светских приказов. Долг церкви, коли ввязалась в мирские дела — идеологическая поддержка порядка, чтоб паства держалась (в подчинении и верности) в узде. Иное нетерпимо.

Или церковь реально была против Дмитрия. Притеснителя своего. И поддерживала народное недовольство. Более того — недовольство возбуждала в душах бесхитростных и раздувала. А церковь — это было и телевидение, и газеты, и интернет; это политические новости, это идеология и пропаганда. В церковь всякий ходил, батюшку каждый слушал. Церковь — это информационно-пропагандистская сеть, покрывающая всю страну и не имеющая конкурентов.

И тогда должен настучать Дмитрий на церковь в Большой Дом — в Новый Сарай, новому царю. И вину ее указать в кратком перечислении своих бедствий. Ибо любой силовой покровитель любит ясность: «Чего конкретно хочешь? Кого мочить?»

О Сергии Радонежском

Преподобный отец Сергий был высший и незыблемый духовный авторитет Северо-Восточной Руси. Его влияние, слава и праведность общеизвестны.

Он чего бежал от татар в Тверь? Он допускал, что они будут штурмовать православный Троицкий монастырь? Он полагал, ему лично может что-то грозить? Почему?

Он был любимый ученик Алексия. Митрополит Алексий был верным другом и сторонником Орды, при нем церковь видела от Орды много добра, и добром платила. Крепила московский престол, склоняла князей к единению вокруг Великого князя

Владимирского и Московского, а «коллективный Великий князь» был хорошим администратором Русского улуса в самые неспокойные и переменчивые времена. Польза была взаимной.

Чего бояться Сергию? Что могут иметь против него татары?

Только одно возможно. Причастность Сергия к восстанию против Дмитрия. Слово Сергия много весило в церковных решениях. А любить Дмитрия, повторим еще раз, ему было не за что. И самоуправное вмешательство Дмитрия в дела православных иерархов одобрить он не мог.

Учтем, что положение глав церкви было куда стабильнее и долговечнее княжеских судеб, полных превратностей. Князья менялись порой очень быстро — епископы были устойчивы. За срок службы архимандрита видал он, бывало, многих князей.

И самоощущение высокопоставленных церковных особ могло быть исключительно таково, что князей они выше, достойнее, долговечнее по высшему счету — по Божественному. Их начальство сидит в Константинополе, их митрополит получает ярлык в Орде, как и Великий князь. И московский князь им не указ! Знай свой шесток. Не тот уровень.

Если бы Сергий выступил в поддержку Дмитрия — это привело бы к расколу церковной политики и стало известно. Часть священников выступила бы в поддержку князя и с умиротворением паствы. О чем князя и известила бы, что в такой ситуации естественно. И были бы приходы и епархии, приветствующие татар как блюстителей порядка, подавляющих смуту — а вот у нас смуты нет, заходите перекусить.

Но церковная иерархия устроена иначе. Распоряжения доводятся сверху вниз. Возможность раскола пресечена в принципе, давно и надежно. Что верхи решат — то и обязательно к исполнению приходскими священниками.

И Сергий Радонежский, почитавшийся за святость еще при жизни, не мог быть непричастен к общему церковному протесту. Не одобрила церковь Дмитрия — это значит Сергий не одобрил. Неформальный лидер в духовном плане венчал церковную пирамиду.

Заметьте — он не пытался бежать в Кострому к Дмитрию. В Тверь он бежал, Москве враждебную, с Москвой конкурирующую, то и дело отбирающую в Орде великокняжеский ярлык у Москвы. В Тверь, весьма дружественную Литве.

Казус Киприана

Примечательно положение Киприана. С одной стороны — у него нет ханского ярлыка. С другой — русско-московские иерархи его не любят: навязали чужого, мы другого выдвигали. С третьей — лишь несколько лет назад Дмитрий его унижал, попустил позорить и грабить, в темницу на ночь кинуть, а потом изгнали вон из княжества. С четвертой — так ведь и он, убежав, предал Дмитрия анафеме! Куда ни кинь — везде счастье.

И унизительная зависимость от Дмитрия его достает. В любой момент этот самодур его вновь выгнать может, или хуже того, о чем и думать не хочется.

Не в наших силах сменить князю характер — но можно сменить самого князя. На другого, с более человеческим характером.

А если с этим новым князем уйти княжеством в Литву — все совсем ладно сложится. Потому что должность митрополита Литовского и Киевского с него никто не снимал. И будет он вполне на своем месте.

Так что Киприан и русское священство друг друга очень даже должны были понять. На первом и решающем этапе нам по пути: убрать Дмитрия. А дальше — договоримся.

...Чтобы восставшие москвичи не выпускали митрополита из города — это вряд ли. Авторитет церкви был слишком высок, чтоб вершить насилие над духовной особой высшего ранга. Прецеденты неизвестны.

Киприан остался дожидаться призванного князя. Чтобы потом своим влиянием поддержать его власть; укрепить легитимность. Интересно, какова была доля его участия в выборе кандидатуры. В литовских делах Киприан разбирался лучше многих, если не всех. И он сидел там митрополитом, и новый князь оттуда.

Интересное совпадение, да? Сложилась своего рода литовская партия, и это ее видимый пример.

Побежать Киприан мог по одной причине. За пятьдесят ему было — опытен, искушен в интригах, прошел византийскую школу. Бедой запахло. Татары мчатся. Бунт давить. Старый лис чует собак издалека.

А ведь у него даже ярлыка ханского нет. А должность занял. На Великого князя кивай не кивай — а спросят с тебя, здесь и сейчас. Если вообще спрашивать будут. Ты глава церкви? Твоя церковь против власти? Все ответят, а с тебя первый спрос. Хотя уж и не первый...

Шапка горит — на ком надо шапка горит. Сбежал Киприан в Тверь. С Сергием Радонежским о жизни побеседовать...

...Когда все кончилось, Дмитрий выпустил из темницы митрополита Пимена и повелел вступить в должность. Что Пимен немедленно исполнил.

Удобно иметь запасного митрополита.

Киприана привезли в Москву лишь на день — оскорбить в лицо и выгнать вон с треском. Больше он в Москву не вернулся — пока Дмитрий был жив. Дмитрий с тех пор Киприана на дух не переносил. Это и взаимно.

Муж и жена — одна сатана

Дмитрий оставил в Москве жену свою Евдокию на сносях. Ребенок, их сын Андрей, родился 14 августа.

То есть князь покинул город не меньше чем за десять суток до прихода Тохтамыша. Учитывая скорость движения татар, весть не могла обогнать их на десять суток. То есть: Дмитрий Донской поспешно покинул Москву раньше, чем мог узнать о грядущем нашествии. То есть: он покинул Москву не для того, чтобы собирать ополчение. Такие дела. Фьютипьють, сказала птичка.

Почему он не забрал жену с собой? Родила бы в любой миг? Ну — иные времена, люди были привычные: взял с собой княжеского лекаря, положил жену в удобный возок, рожай на здоровье. А не забрал, потому что его выгнали.

Почему с рожающей женой не остался? Так потому что выгнали.

А ее-то почему не выпустили с ним, вместе не погнали? А пускай семья побудет в заложниках. Обычная практика. На всякий случай. Гарантия. Чтоб Дмитрий со злом на Москву не пожаловал.

Великая княгиня благополучно разрешилась от бремени. Но обстановка мало способствовала бодрости духа у роженицы. Хотя здоровье супругов было отменное: из их двенадцати детей умерло в детстве только трое, что было большой редкостью по тому времени.

Так а потом почему выпустили? Ну, сначала поглумились, погрозились, попозорили. А потом дошел слух о подходе Тохтамыша. Вот тогда поднялась некоторая паника. С окрестностей и посадов тянулись люди укрыться за городскими стенами. А из города некоторые бежали подальше, типа эвакуации от войны. В самом же городе произошли известное пьянство и беспорядок, как принято при значимых русских мероприятиях.

В этом хмельном и неспокойном беспорядке Евдокия велела собирать вещи и закладывать конный поезд. С неохраняемого великокняжеского двора потянулись возки с рухлядью, слугами и детьми. Детей было ни много ни мало восьмеро. Еще четверых она родит позднее.

На улицах ее узнали. Начали бросать камни, глумиться, останавливать. Жена и дочь великих князей, Евдокия умела владеть собой. Когда хватали лошадей под уздцы — доброхотам раздавали заготовленные кувшины с винами. Доставали серебряные гривны. Дарили перстни и дорогую посуду, льстили и жалобили. Череда беженцев тянулась из города. Охране у ворот оставили даже жемчужное ожерелье и два золотых браслета с бирюзой.

Собственно, перед татарами Евдокия была уже без пользы: такое сложилось представление. Их-то ничто не остановит. Есть, конечно, злая отрада в мысли, что княжья семья тоже погибнет со всеми вместе; но это еще как повернется все, авось живы будем — а княжьего богатства вещи вот они, в твоих руках.

Хрен с ней, пусть едет — и запомнит урок крепко на всю оставшуюся жизнь.

Так и выпустили.

Здравствуйте, князь дома?

23 августа 1382 года передовые татарские разъезды приблизились к московским стенам. Ворота были затворены, на стенах люди.

Но! Посады сохранились в целости. Никто их не сжег, пространство вокруг города не очищал, чтоб затруднить будущий штурм.

Город не был похож на изготовившийся к осаде.

Первое, чем поинтересовались татары, крича вверх: в городе ли Великий князь? (С языками проблем не было: многие русские знали по-татарски, и среди татар были знавшие русский и толмачи.)

Им отвечали, что Дмитрия нет. Уехал.

Внимание! Принципиальный момент!

Татары больше не интересуются, а где Дмитрий есть? Не собираются его найти и наказать. Более он их не волнует. Нет — и ладно.

Погодите. Он правитель страны. Он не платит налога в Орду. Он отказался подчиняться. Он отвечает за все случившееся! Государственный преступник! Найти и покарать!

Близко ничего подобного.

Раз виновника нет — надо посылать во все стороны разъезды, подвергать ответственных лиц допросу с пристрастием — и искать! Найти! И покарать беспощадно — причем со всем родом его! Чтоб порочного семени на земле не осталось! Как у монголов принято.

Нет, други, царь Тохтамыш вашего совета не спрашивает. Он знает, что делает. Узнав об отсутствии князя — татары приступают к рекогносцировке. Объезжают стены, прикидывают местность; осматривают ров, ворота.

Тем временем в Москве появляются пьяные, со стен показывают татарам срамные места и охульно ругаются. Ну-ну.

Местный колорит

А давайте прибавим цвета и запаха! Звука прибавим! Это же не статья какая — это живая жизнь. Наша собственная, наша судьба за минувшим поворотом. Боль, наслаждение, безнадега и счастье — оно все оттуда, на одной нити с нами.

Глухо стучат копыта по земле, запах конского пота и навоза. Дубленые степным солнцем и ветром монгольские лица: широкие скулы, узкие глаза, лисьи малахаи. Сшибает с ног жестокий прогорклый запах человеческих тел, с рождения не мытых.

А окрест трава и кусты, холмы и овраги, вьются желтые дороги, граница зеленого с синим на горизонте. Днем палит солнце или шуршат дожди, утром звенят жаворонки, вечером зло зудят комары.

Дымят костры вкруг Москвы, пасутся стреноженные кони, отблескивает вынутый клинок.

А в городе вином пахнет, бедой пахнет. На стенах лучники из-за зубцов выглядывают. Горит закат страшноватым огнем. В церквах молятся, в подвалах пьют, в домах бабы плачут. У запертых ворот оружные люди ждут беспокойно, чего будет. Лапти шаркают, шлемы звякают у сонных, копья за углы цепляются.

Купола золотые, дома деревянные, рубахи холщовые, гомон негромкий. Девки не смеются, парни к дружинникам тянутся.

Кто знает — быть завтра счастливыми или не быть живыми.

Время свадеб настало, да не играются свадьбы.

Настал момент истины.

Восстали — а что сейчас будет?..

Осада

24 августа Тохтамыш с основными силами приступает к Москве.

Москва ворота не открывает.

Что делает царская свита в таком положении? Орет властно: отворяй ворота и выходи с хлеб-солью, сучьи дети, царь ваш пожаловал, ослепли?!

Защитники настроены категорически. Со стен летят в татар стрелы. Ответную свистящую тучу пускают непревзойденные татарские лучники. Со стен летят защитники.

Два дня татары штурмуют стены. Без успеха. Их поливают смолой и кипятком, лестницы отталкивают шестами, лезущих вверх сбивают перекрестной фланговой стрельбой из укрытых бойниц. Крепость строилась по правилам фортификационной науки — так, чтобы взять нельзя.

С грохотом выстилаются длинные серые дымы — тюфяки выстреливают ядра. Эта первобытная малая артиллерия — трофеи, взятые шесть лет назад все в том же Булгаре.

Стограммовые болты генуэзских арбалетов прошивают латника на триста метров. Уже и мурза один пал.

Нет — без осадной техники Москва не берется.

На что они надеются?

Москве в одиночку Орду не одолеть. Подтянут технику, пришлют пехоту, осадят город на измор. Бреши пробьют.

Это любому ясно. А чего не открывают? А психология. Спрятались от опасности. Подошла вплотную эта опасность. Как к ней выходить — если от нее и укрывались? Пока укрыт — жив, цел, сохранность какая-никакая. Мышь в норе. Особенно если кусачая мышь в надежной норе. Пусть кошка помучится, а мы пока подумаем.

Ладно — это сейчас такое положение, конкретное. Но вообще — думали же, полагали наперед, что Орде такой бунт и сепаратизм не понравится? Ну не дураки же — хоть элита, интеллектуалы, политики думали? Уж не могли не думать.

Рассчитывали наперед варианты опасных политических шагов, крутых поворотов? На пару шагов вперед — рассчитывали будущее? А вы что полагаете, потомки скудоумные в своей стерильной политкорректности мозгов — не соображали серьезные люди, что делают? Вы их по себе-то не равняйте: вам хоть кол на голове — и смертной казни не грозит, и от голода спасут, и даже нагайкой не постегают. А там головушки на кон ставили и будущее всей семьи.

Так что может значить упорное продолжение обороны? Бесперспективной обороны?

Первое. Монголы бунтовщиков и нарушителей, преступивших основные законы, отродясь не щадили. Вырезать весь город за общую вину — да сколько раз, и никаких сомнений. Так чего раньше смерти помирать. Нет смысла сдаваться. Помирать — так с музыкой. С оружием в руках, прихватив с собой на Тот Свет побольше врагов.

Хорошо, это сейчас, но предвидеть это можно было до начала бунта. Уже полтора века русские князья давят смуты с помощью беспощадной ордынской конницы.

Так на что рассчитывали с самого начала? И на что продолжают рассчитывать сейчас?

Что может изменить положение — если татары немилосердны?

Ну, проще говоря — помощь, поддержка, гиря на чаше весов, которая установит равновесие в нашу пользу — это кто-что?

Можем мы дождаться чего хорошего, товарищи? А чего?

Князья Суздальско-Нижегородские — родня жены Дмитрия, отец да братья; а мы и над ней... того... не очень хорошо. Но. Вообще есть вариант: Суздальско-Нижегородские предложат взять Москву под себя — а Дмитрий Суздальский получит, как уже бывало, ярлык на все Великое княжение Владимирское. Гм. Ну, а с чего ему не дать татарам разорить Москву? Бунтовщики ведь... А с другой стороны — если Москва станет его владением — так чего свое разорять-то? Эх, мечтать не вредно...

Но мы работаем другой вариант. Дмитрий Ольгердович и Андрей Ольгердович. Отец и дядя князя Остея.

Дмитрий, бывший князь Брянский, Стародубский и Трубчевский, сидит на службе у Дмитрия Донского в Переяславле-Залесском, и много ласки за верную службу так и не видел.

А брат его Андрей, князь Псковский и Полоцкий, один из героев Куликовской битвы, в русских документах именовался Великим князем. Старший сын Ольгерда! Отодвинутый от центрального наследования интригами пронырливых братьев и нашедший общий язык с Москвой.

Вот их войско должно бы подойти. Московское княжество в составе владений Ольгердовичей — изменит расклад сил в гражданской войне, что кипит ныне в Литве.

И Тверь, Тверь! Всегда ненавидевшая Москву и конкурирующая с ней! Недаром туда сбегают все видные оппозиционеры.

Как Тверь любила Москву!

За полвека до описываемых событий в Твери полыхнуло антиордынское восстание. Чол-хан, брат Великого Хана Узбека, прибыл со свитой и большим конвоем в Тверь — вышибать долги. Поселился в княжеском дворце, князю согнанному цукал, конники грабили открыто и сплевывали тверичам на рубахи.

Долго терпевший народ взорвался и всех перебил, включая ордынских откупщиков. Чол-хана и свиту сжег вместе с дворцом.

А вот и принятые меры.

Знаменитый у потомков московский князь Иван Калита (отнюдь еще не Великий князь) помчался в Орду, выразил негодование и предложил услуги. И дал ему за то хан Узбек ярлык на Новгородское княжение, и город Кострому впридачу от Великого княжения Владимирского. А еще дал татарскую конницу в количестве 50 000 клинков. (Цифре не верится — всю Русь покорили меньшим числом...) Конница сия вошла в русские летописи под названием «федорчукова рать» — командующий туменами, Федорчук, был православным христианином. Да-да, именно. Одна страна, один народ, один вождь.

Суздальцы не утерпели и присоединились к славному походу.

Тверской князь Александр Михайлович сумел сбежать — но города и земли подверглись страшному опустошению. «Разор, глад и мор были Руси карой.» Почему же всей Руси? Москва и Владимир с Суздалем и Нижним Новгородом неплохо поживились и отвели душу. А Тверь их не любила... злопамятные люди, не понимавшие русского единства.

Тверь и Литва против Москвы

Тохтамыш и Дмитрий Донской должны были испытывать симпатию друг к другу. Оба они были неугомонными, настырными, агрессивными и властными. Оба были жадны и не помнили добра; и поражения их не смущали.

Войдя в силу, Дмитрий начал всей силой грести под себя. Или объединять под себя русский мир, который разбегался от него с удвоенной силой. И в частности:

В 1368 Дмитрий (Донской) пригласил Михаила Тверского в Москву — разрешить мелкий территориальный спор. В Москве устроили третейский суд — и Михаила посадили в темную! На его счастье явились в Москву с визитом три мурзы из Орды и поинтересовались, как можно обмануть доверившегося? Тяжкий проступок по законам Ясы. Михаила выпустили — и он бежал к Ольгерду — мужу михайловой сестры. Ольгерд пошел на Москву, разбил русских, погибли князья и воеводы; осадил столицу. И только нападение ливонских рыцарей на другом краю державы поторопило его уйти туда. Тогда Дмитрий вышел и разорил смоленскую и брянскую земли.

1370: Литва потерепела поражение от тевтонов — и Дмитрий мгновенно осадил Тверь. Михаил бежал привычным путем к Ольгерду. Ольгерд двинулся и, разбив встречные войска, осадил Москву. Серьезно осадил. Дмитрий в безысходности попросил вечный мир, впустил Ольгерда в Кремль и предложил много хороших вещей. Приняв богатые дары, Ольгерд согласился выдать дочь за двоюродного брата Дмитрия и московского соправителя Владимира Храброго. Что и совершили в закрепление мира родством. Отбывая, Ольгерд ударил копьем в стену

Кремля — знак воинского подчинения себе — и велел помнить, кто главный. Такой ритуал. Новую границу он придвинул по Можайску и Коломне.

В 1372 Тверь пыталась присвоить спорные с Москвой земли, ну, и пограбила. Как принято, пришел Ольгерд. Дмитрий нанес неожиданный удар по литовско-тверскому войску. Заключили мир, причем Ольгерд обещал не заступаться за Тверь, если она полезет первой.

Да, а в 1374 в Тверь перебежали недовольные московские бояре с несостоявшимся тысяцким, Иваном Вельяминовым, во главе. Помните? И купцы с Некоматом Сурожанином с Москвы в Тверь бежали. И отхлопотали, проплатили, стало быть, князю ярлык в Орде.

В 1375 Михаил получил ярлык на великое княжение Владимирское. И немедленно напал на московские Торжок и Углич. Но Дмитрий сговорился об участии в доле со Смоленским и Брянским княжествами; объединенное войско осадило Тверь. Прибежал Ольгерд. Разорил подотчетную ему смоленскую землю, чтоб не лезли в чужие дела. Вник в ситуацию — и Михаилу не помог. Тот был вынужден — о: отказаться от ярлыка! признать главенство Дмитрия! и оформить с ним подчиненный военно-политический союз...

...И не упустим из виду, что «литовцы» — те же русские соседних областей, но другого подчинения. Не ордынского, а собственного. М-да. Это принципиально. Это объясняет многое в дальнейшей истории.

Так что были, были у осажденных московских повстанцев все основания ждать помощи от войска тверского и литовского.

Вот и ждали. Как ждут второго пришествия Христова.

Заграница нам поможет

Итак, два дня — 24 и 25 августа — с утра до темноты продолжается безуспешный штурм. Одни не могут взять стены. Другие понимают, что рано или поздно подтянутся осадные машины, полетят в город горшки с огнем, запылают деревянные кварталы, тараны вышибут ворота, и все кончится.

А лучшие люди с князем Остеем во главе, днями руководя обороной, ночи судят и рядят, где помощь и будет ли. Потому что задумывалось все верно.

Тверь заинтересована в дружбе с Москвой. То есть — в поддержке нового князя, дружественного. С Дмитрием она не сговорится никогда — пятнадцать лет войн тому доказательство.

Андрей Ольгердович, имевший всегда хорошие отношения с Москвой, княжит сейчас в Полоцке. А в Витебске он родился, а во Пскове княжил, а в Смоленском княжестве заинтересован. Он — старший из сыновей Ольгерда. Он обижен Ягайло, который воссел на великое княжение, не признав его законных прав. Он мечтает о власти большей.

Дмитрий Ольгердович, брат его, вместе с ним пришел перед мамаевым побоищем в московскую службу, вместе сражался — сидит в Переяславле-Залесском. А отчины у него нет, нынешний стол ему Дмитрием в кормление дан. Не оценили кровь его пролитую. Ему необходимо положение свое укрепить.

А сестра их Елена Ольгердовна — замужем за Владимиром Серпуховским. А он, Владимир Андреевич Храбрый — фигура ключевая. Он — второй человек в Московии. Двоюродный брат Дмитрия. В случае его смерти наследует великокняжеский стол — по лествичному праву: наследует старший мужчина в роду, потомок по мужской линии. Его резиденция в Москве, ему идет треть доходов с Московского посада. А сейчас он — с готовым войском на границе Тверского княжества, под Волоком Ламским. Не любит он Дмитрия — тот ведет дело, чтоб его от власти отодвинуть, доходов и уделов лишить.

А в Твери, у Михаила великого князя — ждут событий Киприан, Сергий Радонежский, и митрополит Пимен к ним из Чухломы сбежал. Вся верхушка православной Русской церкви собралась, весь духовный авторитет на нашей стороне. Не терпят они Дмитрия. Призовут народ за нового князя, справедливого, призванного народом. Глас народа — Божий глас.

И Смоленское княжество, немаленькое и небедное, тоже заинтересовано от Дмитрия избавиться. Беспокойства от него много, в свары втягивать норовит.

Серьезный союз собирается. И всем — только польза.

Если всех собрать вокруг Андрея Полоцкого — можно помочь ему сесть на Великое княжение Литовское. Остей и Владимир переберут уделы между собой. Дмитрий Ольгердович получит достойное княжество. Тверь приберет кое-что свое и не будет угрожаема Москвой. Смоленску меж других литовских княжеств не будут вечно докучать соседи (быть может)...

И все будут жить по правде, никто права отбирать не станет.

И вместе в Литве нам не страшна больше Орда. Не те у нее силы, не смеют татары соваться с мечом в пределы литовские. И шиш с маслом мы им платить будем! И забудем дорогу в Сарай, и пусть царь сам себе сапоги лижет; хватит, нализались.

...И всего-то вокруг нас несколько тысяч конных. Где же там они все, в Твери и Литве? Когда подоспеют?

Психология восстания

Когда эмоции захлестывают и гонят в мозг адреналин — разрешение ближней задачи представляется куда необходимее дальней и гипотетической опасности. Пытка, терзающая сейчас — нестерпимее, чем расплата, отодвинутая в туманное будущее.

Поэтому — сарынь на кичку! Наше дело правое — а там Бог поможет, свинья не съест!

Первые же удачи окрыляют, встает волна радостной уверенности и пенится истерическим восторгом: наша берет! А вы боялись!

Да сколько раз мы уже татар-то били! И в Булгаре, и на Воже, и на Куликовом! Не тот татарин пошел; жидковат стал. Прошли времена трястись. Уж если самому Мамаю вломили — так этот-то новый против того-то старого-матерого и вовсе не потянет.

Справимся, ребята! Самое время пришло. Глаза боятся — руки делают.

Вот так и начинали.

Попытка и пытка

Вот так примерно Москва возмечтала выскочить из ордынского ошейника и присоединиться к Великому Княжеству Западному всех славян. Совершить невидимый полет из Азии в Европу.

Но свои братья-русские, рязанцы да суздальцы с нижегородцами, следили ревниво и зорко! Не отпускает Азия детей и слуг своих! Клятву давал, кровь мешал, брат стал...

...И, опять же, эта вечная гремучая смесь невезения с ошибкой. Ах, если бы — да кабы! — был жив великий Ольгерд... Вот уж в ком было решимости на сотню человек, и авторитет непоколебимый, и храбрости был немереной. И умом расчетлив и тверд. Но уже пять лет как не стало Ольгерда. Сыны же, Андрей Ольгердович с Дмитрием Ольгердовичем из другого теста сделаны, коли позволяли сгонять себя с мест. Не королевского замеса братья, не государственного замаха умы. Только тень великой отцовской славы на них, тень великих его дел. Лишь храбрость великого отца своего унаследовали, а масштаб личности — не дался.

Тень отцовской славы часто вводит людей в заблуждение. Наследник кажется преемником. Ан не каждому чадушку отцовская ноша по плечу.

В Литве уже год горела гражданская война. Старый и опытный брат Ольгерда Кейстут, сын его Витовт, двоюродный брат Витовта Ягайло и крестоносцы перекраивали ежечасно карту страны. Люди были колоссальной энергии и с железными характерами. Прочие попадали промеж них как в жернова. Кровь лилась, виселицы скрипели, пепелища дымились. И – на конец августа картина никак не благоприятствовала государственному возвеличиванию Андрея Полоцкого. Самому бы уцелеть и сохранить удел.

(И в эту перепутаннейшую историю у нас нет возможности погрузиться глубоко и надолго! От Полоцка до тевтонских границ было 70 верст. Один конный переход, два пеших. А у Ягайло сейчас наладилось прочное сотрудничество с крестоносцами. И растереть Андрея в прах ничего не стоило. Самый неподходящий момент случился...)

В таком раскладе Михаил Тверской логично подумал об очередном великокняжеском ярлыке от Орды — жестокий риск не оправдается, если Литва не поддержит. А ей сегодня не до того.

Владимиру Серпуховскому не улыбалось остаться козлом отпущения. Не те у него силы, чтобы в одиночку тягаться с Ордой. И так Серпухов уже сожгли.

Надо придумывать линию поведения и как-то сохранить жизнь и положение.

Эх, если бы ударили все вместе! Мечтать не вредно...

Акела промахнулся. Помощь не пришла.

Программа-минимум

Надо было выкручиваться. Искать выход. Строить компромисс с Тохтамышем. Иного исхода не предвиделось. Иной исход — покарает.

И простая мысль: если сейчас как-то удастся договориться — пусть только татары уйдут, и попытку всегда можно повторить, Литва — вот она, рядом.

На подобный случай и брали заложников. Ну... заложников найти для отправки в Сарай можно.

Значит. Если изъявить покорность Тохтамышу. Подтвердить себя его слугами. Навесить на Дмитрия всех собак, обвинить его в нарушении законов Ясы — и церковь обвинит, и бояре, и купцы. Справедливости просим, великий Царь! А против тебя не умышляли. Просто боялись открыть сразу, вдруг оклеветали нас; гнева твоего убоялись.

Вот — пока тебя не было, позвали мы нового князя. Угоден он тебе — оставь на Москве.

А если неугоден? Если вернет Дмитрия? А уж он будет за обиды мстить? Да, это тяжко... риск есть. Но все лучше, чем татары всех под корень вырежут. Там можно выкручиваться, отстаивать свою правду, бежать...

Сказали же нам, что у Тохтамыша счет к Дмитрию. Он Великий князь — он и в ответе. И за налог неплаченый, и за неумение с подданными справиться. И вообще — вспомним, братья, сколько Дмитрий раз переметнулся от татар и обратно к ним: разве есть вера такому человеку?

Что будет? Самое разумное с его стороны — отдаст Великое княжение Дмитрию Суздальскому. Тот всегда хотел и добивался. Недаром сыновья его здесь с Тохтамышем.

Ну — ничего страшного. Покорность изъявим, челобитную вручим. В крайнем случае — и Дмитрия стерпим, раз так обернулось; и зачинщиков меж себя выберем, коль без их выдачи обойтись нельзя; что делать...

С Богом. Будем открывать ворота.

...Что характерно — Тохтамыш также не мог не понимать этого хода рассуждений.

Мы вынуждены думать сами

Когда через двести лет Иван Грозный возьмет Полоцк — исчезнет огромная и знаменитая библиотека полоцкого Софийского собора. Она существовала с конца XI века и была одной из трех старейших на всей Руси — вместе с библиотекой Ярослава Мудрого и новгородской библиотекой. А ко времени Грозного стала крупнейшей из всех — Полоцк бывал столицей Литвы. Да, так она частично сгорела, а частично была вывезена Грозным и исчезла бесследно.

Великий Новгород тот же Иван разорил дотла. Летописи вместе с книгам, уцелевшие от погрома, переехали в его легендарную библиотеку.

В исчезнувшей библиотеке Ивана Грозного, свидетельствовали современники, коим выпало счастье лицезреть сокровища, хранились летописи из Суздаля, Владимира, Твери и т.д.

То есть. История была монополизирована монархом и уничтожена для потомков. (И если сегодня — весна 2015 — вам нагло врут в глаза, что войну на

Украине устроила Америка, чтобы развалить Россию — то чего вы хотите от царевых летописей? Та царская цензура «фальсификаторов истории» просто четвертовала на плахах.)

К фактам надо относиться вдумчиво и критически. Летописцы вам понапишут! А уж объяснения фактам чаще всего приходится давать нам самим. Знать летописные объяснения, учитывать их, сопоставлять — но ни в коем случае ничего не принимать на веру. Кряхтеть, ломать голову, перелопачивать горы окружающих фактов, ища их взаимосвязь с фактом рассматриваемым.

Повторю еще раз: если вы чего-то не понимаете — значит, от вас что-то скрывают.

Веер сюжетов и суть интриги

А начнем-ка с начала этого московско-ордынского конфликта. Пройдем по летописным версиям.

Итак, Дмитрий не платил налог в Орду. А Тохтамыш вознегодовал, пришел, нагнул и заставил платить. Положим. Положим, не давал Тохтамыш освобождения от налога на какое-то время после Куликовской битвы. А Москва засвоевольничала. Что будет тогда?

А тогда князья Тверской, Суздальский и Рязанский наперегонки помчатся в Сарай: мне дай ярлык, великий царь, мне! Я все недоимки с Московии соберу и тебе на золотом блюде представлю! И конницу дай. Я так ослушников накажу, что навек закаются тебе перечить.

Не раз такое бывало в Русском улусе и не два. Обычнейшее дело. А раз к Тохтамышу они не обращались — значит, и не с чего было.

А может — князья Нижегородско-Суздальский

и Рязанский-то Тохтамыша и вызвали? Сигнализируем, царь: беклярбек твой ворует у тебя, накажи его, а нас за верность награди.

Нет — не сходится. Тогда Дмитрий Суздальский сыновей своих в посольство к Тохтамышу отправил бы еще в ставку, в Сарай-Берке, с дарами, как положено. А Олег Рязанский проводников через русские земли и броды тоже послал бы в ставку — заблаговременно, с картами; сам бы потом лично выехал навстречу только уважение засвидетельствовать и удачи пожелать. А так он буквально сам те броды подошедшей коннице указывал. А поди не укажи — начнут у поселян ремни со спин резать, все скажут; да и без пытки скажут, чего москвичей проклятых жалеть, одна радость, что царь им козью морду сделает.

Вариант еще: собирать-то Дмитрий собирал якобы для Орды — а отвозить не отвозил. Себе оставлял. Не извещая податные сословия о налоговых каникулах. Удачный заработок.

Когда (если) информация просочилась — народишко огорчился и взял дубину. Пришедший Тохтамыш сказал Дмитрию: платить будешь. Великому князю сказал — а не народу. Летописец — он при князе, а не при народе: и записал про налог, не переходя на личности.

И то вряд ли. В Орде сидели политики не глупее нас. Умнее. И знали: сотрудники должны следить друг за другом и докладывать наверх. Уж тут Тверь, Рязань либо Суздаль правду бы вызнали быстро: шила в мешке не утаишь, а денег тем паче. И настучали в Орду. И был бы Дмитрий доставлен пред царские очи, и сломали бы ему хребет либо задавили в ковре. Казнокрадства монголы не терпели, это не русские коррупционеры современного образца.

(И все эти картины так и стоят перед глазами: степь и кони в дорогой сбруе, огромная юрта посреди уходящих улиц, кривые сабли на шитых халатах, дымы костров, трехбунчужное знамя изжелта-зеленого цвета, запахи варева и жареного мяса, на бухарских коврах — сидят и стоят серьезные люди, братавшиеся со смертью: здесь и сейчас они творят историю, и жестокая это история.)

Нет; по всему выходит — Дмитрий Иванович послал к Тохтамышу за помощью.

Сгущение красок

Ну ладно — послал так послал. Дело житейское. Но почему Тохтамыш понесся в Москву с такой скоростью? Где у него горело? Другие князья и так не сунутся мятежной Москве помогать. Против Ордынской силы она так и так не устоит. Собрать силы, взять осадную технику и двигать без спеха. Пусть ждут и трепещут! Пока приду — из них уже пар выйдет, сами ничком поползут сапоги лизать.

А понесся прямо из Булгара невеликой силой легкой конницы.

Значит, имел причину торопиться.

Какую? Какую Дмитрий указал, откуда ей еще взяться.

А что может приводить в свое оправдание менеджер, который обделался? Что форс-мажор, обстоятельства непреодолимой силы. А будет еще хуже. И если не поспешить — хана всему. Взорвется котел, утонет лодка, на рассвете разбойники перережут купцов. Торопись, царь!

Первое. Москва предательски хочет уйти под Литву, и войско литовское совместно с Тверским и Рязанским уже готово выступать. И мой брат-оборотень Владимир Серпуховской свою дружину к ним привел.

И уже посадили князя из Ольгердовичей, и Андрей Полоцкий с Дмитрием Переяславским ему отчая поддержка, и укрепляется он с каждым днем. Каждая минута работает против нас!

Нет-с — кроме Дмитрия Ивановича некому было Орду пригласить. Да еще убедить ее мчаться сломя голову.

Дмитрий дома?

Итак — летописец повествует: подъехал к стенам татарский разъезд, спросил про князя Дмитрия, услышал, что нет его. Вслед за чем произвел рекогносцировку местности.

Потом была двухдневная осада со штурмами.

Потом перешли к переговорам.

Но — Дмитрия никто не собирался искать! Никого за ним татары не послали!..

Зато в конце убеждали: к вам претензий нет, вы люди хорошие, а вот к вашему князю у царя претензии. Так что не бойтесь, выходите. Мы вообще-то с ним хотим разобраться немного. Не принимайте на свой счет случившееся недоразумение. Дело военное, мы погорячились, вы погорячились, пора и помириться.

М-да. Вот то, что вначале спросили про Дмитрия, а потом полезли на стены — это странно. Если его нет — так чего лезть?

Дорогой читатель, хрен ли тебе все эти книжки и прочие исторические сочинения! Жить-то надо живой жизнью! Вот и будем жить: надень халат, навесь саблю, вскочи на коня, ощути единство своего жилистого тела с конской мощью, задница мозолистая, друзья кругом головорезы, Вселенная принадлежит нашим туменам! Что ты крикнешь, подскакав к стенам на расстояние голоса?

– Открывай ворота, сволочи! Великий царь приехал в ваш город! Встречать как положено, кланяться низко, дары складывать где укажут! Милость великого царя беспредельна, он милует всех своих подданных, кто не умышлял зла на него и не делал зла! Но ослушников постигнет суровая кара! Быстро открывать, я сказал!!! Не то поздно будет!

А теперь ступай в Москву, за каменные стены. На рубаху холщовую надень армяк, на армяк кольчугу. В руку копье возьми. Выпей вина, выпей браги, нынче платить не надо. Зашумело в голове? Теперь ступай на стену, с татарами погаными разговаривать. Явились не запылились. Звали их сильно. Что ты ему вниз скажешь?

– Трах-шарах-мать! А чего царю у нас надобно? С чем пожаловал? Чего сулит? Знаем мы ваши милости, потом голову ищи по кустам. Живем мы себе, никого не трогаем, и вы нас не трожьте. Ступайте с Богом, земли у вас достаточно!

– Ты знаешь, что тебе за такой разговор будет? Что вам всем за неподчинение воле царя будет?

– А ты меня сначала достань, падаль! Иди сюда ближе — поцелуй меня в зад!

А уже заводятся оба, крик с хрипом, кровь в лицо:

– Дорого вам это обойдется, дети больной суки! Где князь?! Давай его сюда!

– А и хрен его знает, кудыть он делся! Тебе надо — ты и ищи!

Не договорились, короче. Вот и весь дипломатический ритуал. Вот и все «поиски князя».

Что доложить Тохтамышу?

«Ворота не открывают».

Что ответит Тохтамыш? Выдержав равнодушную паузу, не шевельнув ни единой складкой лица, как подобает властелину:

«Взять город».

Что делать?

Брали двое суток. Не берется. Людей теряем. Хорошие стены русские построили. Ну — как поступить дальше, товарищи имперские монголоиды?

Можно продолжать. Не исключено — возьмем стены. Хотя вряд ли. И людей много потеряем.

Можно разбить лагерь и ждать технику и подкрепление из Орды. Перейдем к правильной осаде. Чуть раньше или чуть позже — возьмем. Это наверняка.

Но тут таится ряд опасностей.

Первая. Если литовские войска подойдут и ударят — это осложнит положение. У Литвы большая военная сила. С ней сейчас не надо связываться. Можно потерпеть поражение. И потерять Московское княжество. Более того — можно потерять лицо в глазах русских князей. Уважать перестанут, бояться перестанут, на сторону глядеть будут. Можно потерять весь Русский улус. Этого допустить нельзя.

Второе. Если Тверское княжество присоединится к войску Литвы. Тверь пронырлива, коварна.

Третье. Где-то Владимир Серпуховской с дружиной бродит. Мы у него Серпухов сожгли по пути сюда. А у него все законные права на московское княжение после Дмитрия. Если явится и мечом претендовать будет — еще и с ним разбираться вдобавок ко всем прочим.

В цейтноте мы, товарищи генералы. Что? — в шахматы не играете? Это не важно. Времени у нас нет! Мы чем выигрываем? Скоростью. Движемся молниеносно, наносим удар где выбрали и когда выбрали. Потому что если все наши враги объединили бы все свои силы против нас — мы бы и сейчас табуны пасли за Керуленом... если б уцелели.

Блицкриг! Что — и немецкого не знаете? О Небо, с кем приходится выигрывать войны... Нам нужно самое быстрое решение! Чтобы разобраться с Московией — сейчас! Сразу! Завтра же!

Хотелось бы услышать мнение начальника отдела спецпропаганды.

– Ну а чего тут думать? Выманить. Запудрить мозги. Усыпить бдительность. Убедить, что мы против них ничего не имеем. Обещать что угодно — свободу, безопасность, сохранность имущества. Хотят другого князя — да пусть хоть спят с ним по очереди. Короче — дать всем все.

– А поверят?..

– А куда они денутся? У них выбор между смертью и надеждой, великий хан. Только сильный воин изберет почетную смерть в бою вместо призрачной надежды на спасение. Они не такие воины. Они поверят в то, во что люди всегда хотят верить.

– Надежды мало. Должна быть уверенность.

– Великий хан прав. Я позабочусь об этом.

Разрешение недоразумения

(Малая группа знати на дорогих конях приближается к стене на расстояние голоса, маша́ в знак мирных намерений бунчуком.)

– Эй, вы, там, на стене! Кто говорить будет?

– А ты кто таков?

– Василий Дмитриев сын, князь Суздальский.

– А это с тобой что за хрен с горы?

– Из пасти-то не воняй, досюда слышно. Это Семен, брат мой, князь.

– Чего надобно, татарская дубина?

– Погоди лаяться. Меня царь отправил.

– А ему чего?

– Непонятка вышла! Перетереть надо.

– Ну дак между ног и три сильней! Уже пробовал?

(Со стены — «Бру-га-га!»)

– Вы скажите, а то непонятно: чего Дмитрий, князь ваш, не показывается, говорить не хочет? Боится? Вас вперед себя умирать посылает?

– Да нету его на Москве! Говорили уже!

– Не верит царь. Боится Дмитрий его суда. Знает свою вину. Страх его взял пред царевы очи предстать, так говори по чести.

– Уехал он из города! Нету! Ну говорю же!

– А чего ж он уехал? Знает свою вину перед царем! Налог не платил, слушать не хотел! А вы его зачем покрываете?

– Это мы его покрываем?! Да мы его вообще вон прогнали!

– Что значит — прогнали?! Как прогнали? Князя?! Куда?..

– Да и хрен его знает, где он есть! Не ведомо то нам! Куда бежал — там пусть и сдохнет!

– Ничего себе дела!..

– Семка, стой, не лезь... Так ты баешь, что князя в Москве нет?

– Так а я тебе о чем!

– И вы эти все дни бились без него?

– Ну.

– Побожись!

– Вот те крест!

(На стене крестится. Под стеной чешет затылок...)

– Да царь-то к Дмитрию пришел! Его наказать хотел! Вы-то при чем? Вас ему на что? Это царское дело, не ваше! Так а вы чего тогда в стенах-то затворились?

– Так а татары ратью подошли. Серпухов вон сожгли. Народ от них бежал.

– Серпухов разорили, потому что Владимир-князь там был. А он Дмитрию брат. А как Владимир бежал — на Серпухов царь другого князя поставит. Вон его, понял?

(Василий Кирдяпа указывает на Семена. Семен важно кивает головой. Рыжая кобыла под ним пляшет, застоявшись.)

– Нам ставить князя не надобно. У нас уже есть новый князь.

– Но-овый?! Это кто ж будет?

– Остей Дмитриев сын. Дмитрия Ольгердовича. В Переяславле что сидит.

– Из гедиминовичей, што ль?

– Ну.

(Братья внизу переглядываются, разводят руками, отъезжают и совещаются с татарской свитой, что-то ей втолковывая. Возвращаются к переговорам. На стене собрался народ, тянут шеи, вслушиваются.)

– Так вы не за Дмитрия бились?

– Да нам хоть он шею сломай! Царь его накажет — народу только в радость.

– Так чего вы сразу-то не объявились? Что против Дмитрия? Значит — вы же за царя?

– Ну. Выходит так... Чего же...

– И Дмитрия неугодного сами прогнали?

– Ну.

– И нового себе князя позвали?

(Наверху прежний переговорщик, в боевой броне, отодвинут властной рукой. На стене появляется меж зубцов разодетый боярин в шлеме с насечкой и берет переговоры на себя.)

– Наш новый князь готов слушать, что скажет царь.

– Так надо же, чтобы ваш князь ярлык от царя получил!

(Начинается осторожное выяснение условий, на которых Тохтамыш признает Остея князем Москвы и вернет москвичам свое расположение. Складывается, вроде, так, что можно договориться и решить дело миром?..)

Летопись как код

Ведь примерно так, ученые джентльмены, в общем и целом — только так и никак иначе. Насчет летописей — понимать же надо: пергамент дорог, с чернилами и пером надо обращаться крайне осторожно, а в подробностях все происходящее записать невозможно, нет таких ресурсов людских и технических.

Есть масса работ по церковнославянскому и древнерусскому языку. Но не существует работ по стилю летописного изложения в связи с техническими возможностями. Специфика этого стиля не осознана, не исследована. А ведь она сродни сегодняшнему твиттеру — количество знаков минимизируется. Сообщение об отдельном событии или поступке порой до ужаса напоминает нашу SMS — эсэмэску. Экономим информационно-графическое пространство как можем, условившись о сокращениях.

А технические сокращения текста, экономия графического оформления информации, рождает свою эстетику. То есть. Любой письменный язык отличается от устного. По отношению к устному письменный язык всегда условен. Начиная с того, что линейным начертанием мы условились изображать фонемы через буквы.

Краткость изложения ведет к концентрату содержания. Выражаясь научно: чем выше степень кодирования текста — тем выше семантическая нагрузка на единицу текста.

Пример. Летописец не может написать историю Второй Мировой войны в ста томах. Он может только в одном. Причем с современной точки зрения — нетолстом. Поэтому он начнет с фразы: «Вторая Мировая война началась 1 сентября 1939 года нападением Германии на Польшу». Чистая правда. И далее в том же духе.

Но. Он не может написать о создании Германской империи Бисмарком, о Первой Мировой и Версальском мире, о становлении национал-социализма и сталинизма, о Мюнхене и секретных протоколах Молотова-Риббентропа, о мечте Черчилля стравить Третий Рейх с СССР и мечте Сталина стравить Третий Рейх с Англией и Францией — и о многом-многом еще. Летописец не может объять необъятное. Причины, мотивы, истоки, цели — вместо комплексного исследования взаимосвязей летописец консервирует краткое перечисление узлов исторического сюжета. Изредка расцвечивая повесть яркой деталью. За каковой бесценный труд ему огромное спасибо и молитва за упокой души.

Поэтому позднейший историк ставит вопросы: как, почему, ради чего, кто с кем и против кого, кому какая выгода и главное — в чем здесь логика и глубинные причины, которые нельзя было отменить. Ну, выше мы уже говорили: аналитик и реставратор, разведчик и психолог.

Летопись нуждается в раскодировании читателем. В развертывании смыслов. Умение читать и умение прочитать летопись — разные вещи.

Летопись излагает факты. Иногда врет. Иногда врет явно. Иногда факты не увязываются между собой — тогда надо искать умолчания, искажения, подтасовки.

Эстетика летописи основана на сокращениях, вызванных техническими причинами. На сокращениях, вызванных общеизвестностью современных летописцу фактов (позднее они канули). На сокращениях, которые вызваны политической задачей умолчать ненужное и враждебное. На умолчаниях, вызванных мнением летописца о важном и не важном. А также, также, также!! — На патриотической трактовке событий. На необходимости считаться с волей монастырского начальства — с редактором, так сказать. И князю польстить надо, а грехи его скрыть либо трактовать ему во благо. Образ русского воина приподнять, врагов его — опустить: ах ты собака Калин-царь!

Летопись идеологизирована! Понимать надо. А как иначе.

При этом беллетризована! Персонажи дистанцируются от исторических героев по воле и разумению автора; который и так-то полнотой информации не располагает.

И оптимизирована. В смысле минимизирована.

«Минималистская эстетика русской летописи» — эта ученая монография еще не написана; да и докторской нет.

Летописец выдирает из тела истории скелет, нередко теряя при этом отдельные кости. При попытке собрать его кособокий скелет хромает и падает.

Но летописец, этот гуманитарный Кювье наоборот, все время подразумевает, что сохраненный его трудом скелет вы мысленно видите как все тело целиком, с его мышцами и внутренними органами, в движении и работе: видите скелет события как живое полнокровное действие с логикой и страстями. Но прошли века, отдельные кости потерялись, вместо гомункулюса восстанавливается ужасный Франкенштейн с нарушением координации.

Любая история — это кубик Рубика, который надо собрать. Предварительно найдя недостающие квадратики.

А чего тут совещаться?

Прикинули в Москве хвост к носу, а времени на прикидывание парламентеры дали немного... С утра до полудня был последний срок. И то сказать, зачем больше. Все уже думано-передумано...

А парламентер, если кому да вдруг неясно, не перину взбивает перед обреченными, чтоб мягко спать было. Парламентер протягивает им обе свои руки: в одной пряник — в другой кнут. И предлагает выбор. И отпускает на этот выбор конкретно ограниченное время.

А если нет у парламентера кнута — пусть он свой пряник себе в зад вобьет и так кушает. Чего ради с тобой считаться, если ты никак не можешь нам навредить? Ну и пошел на хрен со своими посулами. Эть, придурок, предложение он делает. Своим умом проживем! И рисковать попусту не станем.

Вот и судят-рядят умные люди, и князь лоб морщит, и вече на площади шумит. Тревожно шумит, невесело...

Помощи нет. Когда придет — сказать трудно. А вдруг как не придет вообще. Или — слишком поздно...

Стены татары возьмут раньше или позже. Суздальский полк к ним подойдет, нижегородский, а уж рязанцам и вовсе радость Москву на копье поставить и пограбить. Соседи это любят. И осадные камнеметы, башни, тараны из Орды уже волокут.

И что тогда? Тогда вырежут всех поголовно. Такой у них закон всегда был. За сопротивление — смерть всем.

А с другой стороны — можно ли им верить? Думать надо. Но вот говорят — Дмитрий налог не платил в Орду. А надо было. Ишь как обернулось... А мы чего? Нам что сказали — мы то платили его людям. На нем вина. Это верно, это так. Здесь они правду говорят.

Дальше. Если у Дмитрия людишки обнищали, разбегаться стали — значит, плохой беклярбек. Не может хорошо править. Чтоб народ доволен был. А он царю хлопоты доставил. Царь за него теперь разбирается. Время тратит, коней морит, хочет порядок восстановить. Это опять же Дмитрию в укор.

А против царя мы никакого зла не мыслили. Был бы князь хорош — мы бы и жили не тужили.

Насчет уйти к Литве — еще доказать надо. Бумаг нет. Мало ли чего со зла и зависти соседи наболтают!

Остея пригласили? А он русский. Дмитрия Ольгердовича, Переяславского князя сын. Литве никогда не служил. Позвали его, потому что обещал лучших людей слушать, порядки хранить.

А какой у нас главный порядок? Что мы в великой монгольской империи. Улус великой Золотой орды. Хан ее — наш царь. Так еще Ярослав заповедал, и сын его Александр, Великий князь, своей кровью скрепил.

Так что мы, ребята, даже оченно рады, что царь к нам пожаловал. Выслушать жалобы своих верных подданных на нерадивого беклярбека. Который на руку нечист и законы нарушает.

И чего дальше? Если угодно царю оставить Дмитрия — на то воля его. А если окажет милость и оставит нам выбранного князя — тогда вовсе рабы его верные вовеки веков.

...Так что мы-то боялись, что он против нас пришел. А он против Дмитрия. Так сразу и разобрались бы... (Эх, да нет, сначала надежда у нас была на помощь...)

Но, в общем, похоже, все решается. Все вот как-то так. Вполне складно выходит!

...И действительно складно. Особенно потому, что в эту разумную логику очень верить хочется. Эта логика откорректирована жаждой жить. А иная логика негатива отодвигается, в сознании как бы уменьшаясь — эту логику инстинктивно отторгает страх смерти, некая инстинктивная нереальность твоей близкой смерти.

В борьбе со смертью человек всей силой души бросается на самый вероятный вариант спасения. Таков один из базовых законов психологии.

Человек из комфортного безопасного состояния психологически не может понять логику человека, противостоящего смерти: последний видит все соотношение обстоятельств совсем в иных пропорциях. Отчаянно обостренный инстинкт жизни удесятеряет веру бойца в удачу: вера овеществляет его реальность.

Ваш выход!

Наше повествование, столь же героическое, сколь удручающее, подошло к концу. Собственно, интрига кончена, дело закрыто, осталось завязать на папке тесемки и убрать в ящик стола. Не впервой нам убирать историю в ящик стола.

А она не убирается.

...Поднялось солнце на полдень, и зазвонили по Москве колокола.

Расположилась горделиво ханская свита на пологом склоне холма. И широкими крыльями выстроилось по сторонам ее войско.

Перекрестился люд московский, загремели засовы — и растворились все семь московских ворот. Пусть въезжает царь с приближенными в верный свой город. Верны ему рабы его, и пусть простит он их неразумие, они верной службой все искупят.

А из Фроловских ворот движется с молебнами торжественное шествие. Впереди князь Остей с шапкой в руках, за ним тиуны подносы несут с драгоценными камнями и золотыми монетами. Священники идут с хоругвями, бояре идут, знатные купцы идут.

Внимание. Вот сейчас произойдет важнейший исторический поворот.

Хан посылает знак. И вмиг вспыхивают тысячи клинков, слепя искрением. Коротко и жестко свистят стрелы и пронзают тела. Бритвенной заточки сталь распластывает плоть. Обступили и споро посекли всех, кто вышел со встречей.

Конные отряды влетели в семь распахнутых ворот. Все было кончено. Крик, плач, вопли, лужи крови. Пощады не было никому. Ни священнику, ни младенцу.

Мы избавим читателя от описаний средневековой жестокости, насилий и изуверства. Время было такое, ага. Город был вырезан, разграблен и сожжен. Церкви осквернены, иконы ободраны... никогда такого раньше не бывало! Девушек угоняли в полон. Более живых не оставалось.

Зачистка территории

Вслед за чем конные группы разошлись по московским уделам, разоряя все на пути. Лишь крупные города поименованы в летописях отдельно: разграбили-сожгли стольный Владимир, Звенигород, Можайск, Юрьев, Переяславль, Дмитров, Серпухов, а «волости и села жгучи и воюючи без счета».

Что характерно: после Москвы — ни об одном случае сопротивления, тем более противодействия организованного и вооруженного, не говорится. В чистом виде карательная акция.

Вожди и полководцы

Вопрос о поведении князей Великого княжество Владимирского и Московского источники деликатно обходят.

То есть существует версия, что узнав о приближении татар Дмитрий вышел навстречу и стал скликать войска — но князья не откликнулись и ничего не дали; и сами не явились; дальнейшее — молчанье. Ну, тогда он в Кострому и побежал — войско собирать. В монастыре. Этот вариант мы рассматривали. Не получается. Называется лишь уважительная причина, по которой Дмитрий не сопротивлялся.

По другой версии, собранное Дмитрием войско шло на Литву — и вдруг взбунтовалось и прогнало Дмитрия прочь. А тут — Тохтамыш! Дмитрий — в Кострому; далее по тексту. Войско с князьями исчезло вообще, растворилось во мгле веков.

Третий вариант: прогнали Дмитрия из Москвы, пришел Тохтамыш порядок навести, а князей — как корова языком слизнула. Города разоряют — а князья ни гу-гу. Подались в нети.

При этом. Не зафиксировано ни одного смещения князя после рейда Тохтамыша. Никого не обвинили, не сняли с должности, не заменили на другого. Типа погоревали князья и, сжав зубы, стали восстанавливать свои уделы. И дисциплинированно подчиняться Орде, царю своему то бишь. Так-то.

То есть. С точки зрения государственного права и законов. И в аспекте социальной психологии. Князья и население (церковь, купечество, ремесленники, крестьяне) — не есть люди одного и того же русского народа, соотечественники, братья по вере, по крови и духу. Ноу, сэр! Они есть: государственная администрация Орды, ее Русского улуса — и подданные, народ, холопы, чье предназначение и долг — беспрекословно исполнять все приказы руководства, исполняющего волю Великого Хана. Долг подчиненных — беспрекословное подчинение! Нарушение этого первейшего долга — преступление, которое сурово наказывается.

Поймите. Ордынская знать была интернациональна. Славяне, кипчаки, монголы, черемисы — без разницы. Ханом мог стать только чингизид — так ведь династические ограничения везде есть. Да. А народ Орды — тоже был любого этнического происхождения. А Орда была — повторим! — принципиально надэтнична и надрелигиозна. Такое государство. Огромное.

Поэтому. Сословное родство, социальное тождество — было гораздо важнее и весомее родства этнического, национального. (Ну как в Советском Союзе — секретарь обкома в Белоруссии был социально роднее секретарю обкома в Узбекистане, чем своему пьяному трактористу или романтичному учителю; один распределитель благ, один уровень спецжилья, одна спецмедицина, один допуск к секретной информации, соседние люксы в отеле и соседние кресла в президиуме. И секретарь обкома горой стоял за эту власть, при которой имел все! И когда в Новочеркасске расстреливали толпу бастующих рабочих — осетин генерал Исса Плиев по приказу русского генсека Хрущева расстрелял русских забастовщиков. А уж когда русский комендант Одесской ЧК Папанин расстреливал русских по приказу поляка Дзержинского, или русский начдив Чапаев в составе руководимой евреем Троцким Красной Армии громил русские полки — совсем было ясно, что социальная близость важнее национальной. Национальное родство — вообще было тьфу!..)

Картинка: стереометрия и самоидентификация

Здравствуйте — садитесь.

Друзья. Вы на уроке. Смотрите, что показывает учитель. Он ставит на стол много узких пирамидок. Вроде четырехгранных морковок.

Он сдвигает вместе, складывает, прижимая их друг к другу, много этих четырехгранных морковок. И они, плотно соприкасаясь, сдвигаются в одну широкую пирамиду.

Эта широкая пирамида имеет большое основание. И состоит из плотно сложенных узеньких пирамид. В вершине общей пирамиды они все плотно соприкасаются, прижимаясь друг к другу своими узенькими вершинками. И сливаются в единое острие. Его венчает точка — самая вершинка пирамиды.

А в широком основании общей пирамиды квадратные основания маленьких пирамидок плотно сложены в один большой общий квадрат. Он похож на паркетный пол квадратной комнаты. Этот паркетный пол состоит из отдельных квадратных плах паркета. Эти отдельные квадратные плахи — основания плотно сдвинутых вместе маленьких пирамидок.

Теперь смотрите: все пирамидки были полосатые, как хвост енота. И когда их сложили вместе — эти поперечные полоски совпали в единые горизонтальные полосы общей широкой пирамиды.

Смотрите внимательнее: это горизонтальные слои пирамиды, а не просто полосы. Все отдельные пирамидки были составные, они делились на несколько этажей. И теперь общая широкая пирамиды состоит из таких нескольких этажей. Они совпадают по высоте у всех пирамидок — и образуют единые по длине-ширине, единые по площади общие этажи общей пирамиды.

Общая пирамида сложена из отдельных узких пирамидок, как остроконечный шалаш, как пучок. Но одновременно она сложена из этажей, как сужающаяся стопка книг, как штабель досок.

И люди на каждом этаже соседствуют в двух измерениях: горизонтальном и вертикальном. Вертикальное — это люди своего народа: вверх — там богатые и властные, вниз — там бедные и слабые; но все это вертикаль своей нации, языка, земли, религии.

А горизонтальное измерение — это свой социальный слой. Твои братья по классу, по власти, по социальной роли, по административному ресурсу и политической ответственности. Этаж крестьян, этаж священников, этаж купцов, этаж родовой знати.

И чем выше к вершине пирамиды — тем меньше площадь общего этажа, а клеточки отдельных квадратиков, которые этажики отдельных пирамидок, становятся вовсе маленькими, тесными, слипаются между собой.

И вот на этих верхних этажах, уже небольших и малонаселенных, возникают транснациональные корпорации. Международная элита. Клуб интернациональных топ-менеджеров. И уже короли и князья разных государств женятся промеж собой — ибо только на своем верху, в своем пентхаусе они общаются с равными себе. И киевская княжна ближе франкскому принцу, чем землепашцу своего родного народа. Принц равен только принцессе — а они всегда находятся в разных государствах.

И родители и семьи новобрачной пары роднятся за свадебным столом, пируют и шутят — и им мало дела до нужд дворни, которая подает блюда и заботится о конюшне; плевать, какой национальности эта дворня.

И в битве рыцарь-победитель оказывает уважение рыцарю-пленнику. А своего воина-простолюдина случалось даже и казнить, если он убил твоего врага — но знатного и тобою уважаемого; случалось, братья, и в Азии, и в Европе.

По этому по всему аристократы великого разноплеменного государства по законам чести и верности были ближе друг другу, нежели своим смердам. Великая корпоративная солидарность роднила их. У них были одни ценности и одни представления об успехе и долге. Они мерили жизнь одним масштабом, они видели мир глазами владык.

Они могли резать друг друга — но считались только друг с другом. И царем, который над ними.

В большом государстве социальный критерий близости доминирует над национальным. Если же произойдет иное — государство развалится на национальные улусы. Или вовсе погибнет в кровавой анархии.

...Ну вот скажи — сегодня: с кем президент Путин считается больше, кто ему ближе — начальник Чечни Кадыров — или безвестный русский учитель либо санитарка? Кто ближе чиновнику-казнокраду: обжуленные им земляки-русские — или Америка, где у него коттедж, сбережения и семья, получившая американское гражданство?

Так кто ближе князю?! Смерды его, которых бабы новых нарожают? Или ордынская знать, где он принят как сильный среди сильных и высокий среди высоких? Где можно власть получить — и можно власть потерять, да с головой вместе? Он, князь — хочет быть дома на вершине великого государства — а не дома среди родных берез, осин и елок с палками. По березкам он заплачет — а за власть душу дьяволу продаст.

Н-ну-с, а поскольку в Великой Монгольской Империи живет и княжит князь, считая отца и дедов-прадедов, уже полтора века — он гражданин великого государства. Он и независимости хочет — и причастность всемирному величию он познал. И сладка та причастность.

А Великий Хан знал хорошо: только бьющую руку лижет собака.

Итак, запишем тему пройденного урока: «Почему естественно выступать в интересах своего класса против интересов своего народа». Что-о?.. Какой Маркс?! Так, Маркса мы не трогаем, его сейчас не проходят; но ведь и он с либералом-предпринимателем Энгельсом, своим содержателем, бывал иногда прав... да-да.

Национально-историческое разочарование

Так что, дорогие друзья, нас ждет большое разочарование в святых надеждах, и отдых от иллюзий перед дальней дорогой в казенный дом. Казенный дом — это будущая Российская Империя как тюрьма народов (претензии не принимаются, определение не мое, я его считаю безусловно ограниченным.) Дальняя дорога — это будущие четыреста лет развития и роста страны до эпохи Екатерины Великой, после нее Россия предстала во всем своем величии и могуществе.

А святые иллюзии — это красивая метафора, согласно которой на поле Куликовом зародилось русское единство людей разных княжеств. Насчет единства разных социальных групп поэты-сказители-летописцы умалчивают. Имея в виду, что на поле брани все сословия равны в борьбе пред лицом смерти.

Но — не будем отвлекаться. Ограничимся здесь констатацией того факта, что русские князья пред лицом татарского нашествия не были и близко едины со своим народом. Они выступили в интересах государства, администраторами которого являлись. На стороне законной власти, представленной татарской конницей. Против своего народа, который явился бунтовщиком против законной власти.

Хорошо быть христианином. Веришь, что на том свете князьям воздалось.

Победа Владимира Храброго

Один из татарских отрядов доскакал до Волока Ламского — и под его стенами был наголову разбит ратью серпуховского князя Владимира Андреевича Хороброго. Двоюродного брата Дмитрия Донского, внука Ивана Калиты, героя Мамаева побоища. После этого встревоженный Тохтамыш поспешно увел татар с Руси.

По всем сведениям, Владимир Храбрый был отважный воин, водивший своих бойцов в сечу не раз. Его памяти можно только поклониться.

А если в посмертные описания его действий вкрались какие-то неточности — это вина летописцев, но не героя.

Жаль, и не совсем понятно, что Владимир Храбрый не защитил свой удел — Серпухов. Татары его, как уже упоминалось, разграбили, вырезали и сожгли... Но, видимо, не могло хватить сил удельного князя Владимира, хоть бы и брата Великого князя, против всей рати Тохтамыша. Он отступил, собрал больше войска — и разбил один из вражеских отрядов.

И защитил Волок Ламский, не дал уничтожить его.

А Тохтамыш действительно воспринял это как поражение, как угрозу — и спешно покинул Русь? Ну, мы уже говорили — вся Русь его в данном случае не интересовала, он занимался исключительно Московским Великим княжеством.

А как же это Царь спустил удельному князю одного из улусов такое нападение на его воинов, исполняющих его приказ? Как Великий Хан проигнорировал подобное преступление и оскорбление? И впоследствии никогда не наказал?

Скажите: а после того — означает ли вследствие того? И то, что Тохтамыш ушел после разгрома своего отряда — означает ли, что он ушел по причине этого разгрома? И сколь велик разгром?

Эта мастерская стратегия напоминает гибрид биллиарда и городков. Бьешь по одному шару — и все вылетают вон со стола.

Все силы Тохтамыша составляли несколько тысяч конников. Один карательный отряд — несколько сотен. Упоминаний о битвах отрядов с русским князьями нет ни одного. Владимир — единственный.

Даже если русские вырубили половину отряда, а половина бежала — чем грозит это Тохтамышу? Тверские и рязанские полки на его стороне — всегда можно послать на мятежника и покрошить всех. Что — мы не сказали? Да, конечно, вооруженные силы Суздаля, Нижнего Новгорода и Рязани были к услугам законного и любимого царя. Покарать мятежников и одновременно пограбить и опустить конкурентов — святое же дело.

А Владимир этого не знал? Отчаюга был? Или полагал после этой партизанской сшибки скрыться за границей?

М-да... Вот уже сто лет мы празднуем День Защитника Отечества. Раньше он назывался День Советской Армии. Еще раньше — День Красной Армии. День ее рождения. 23 февраля 1918 года молодая Красная Армия в своем первом бою разгромила немцев под Псковом. Так потом оказалось, что она их в этот день не громила. Она их в этот день увидела — и побежала назад быстро и далеко, не рискуя своей молодой жизнью. Что не помешало пропагандистам вскоре объявить визуальный контакт битвой, драп — победой, а мелкий позор — днем рождения. Через сто лет это стало общеизвестно — что отнюдь не мешает празднику мужества.

Победа Владимира Храброго над татарами, не давшая им разрушить Волоколамск и обратившая всю армию в бегство — это защитная патриотическая реакция русского духа, не могущего допустить безнаказанного насилия над собой; как и любой другой дух. Случись это на самом деле — хана отважному Владимиру: город в головешки, людей в беф-татар, воронам раздолье.

Так здесь же еще одна вещь. Волок Ламский не принадлежал Московскому княжеству. Кто б мог подумать. Раздражающая деталь.

Он был новгородским анклавом между землями смоленскими, тверскими и московскими. В начале века Москва заставила в нем посадить рядом с новгородским наместником и московского. Затем московский новгородского изгнал, как водится. Еще посидел князь из московских. Затем вошел в силу Ольгерд, Смоленское княжество стало втягиваться в Литву — и на Волок Ламский сели князья Березуйские со Смоленщины. Новгородское же влияние оставалось весьма сильным.

Так что Волоку Ламскому на наш 1382 год жить под Дмитрием Донским не было никаких причин. Он стоял у границы тверских и литовских земель, имел выгоду узлового транспортного пункта и предпочитал находиться в зоне свободного рынка. А Москва выжмет досуха. Там свои купцы ныне подвывают.

А Владимиру Храброму Серпуховскому Андреевичу находиться близ него было очень сейчас удобно. Раз — и ты в Твери. А она мирная и покорная, трогать не велено. Раз — и ты в Литве. А с ней сейчас мир и соваться не приказывали.

И не забудем, кстати, что жена у Владимира — дочь великого Ольгерда Елена, да. Не чужой он Литве, и она ему не чужая.

Что должен сказать Волок Ламский подъезжающим татарам? «Да идите вы на фиг — мы Новгородская Республика! Да — а посадника пригласили смоленского, мы с ними давно работаем, они в теме. Какая Москва, какой Дмитрий? Чтоб они все сдохли! Что, сожгли? Ура! Передайте царю, что мы счастливы, давно пора ее спалить было, совсем обнаглели».

Рядом в Твери, заметьте, вся духовная элита оппозиции: Сергий Радонежский, митрополит Киприан, митрополит Пимен. И станет Тверь Великим княжеством, и будет дань с Москвы для Орды собирать, и будет ей нужен воевода — князь опытный, умелый и храбрый, и тут лучше Владимира никого не найти. А еще того вернее и лучше — князь на Москву нужен. А у него — все права после Дмитрия. А Дмитрий, пожалуй, уже политический труп.

Не было резона Владимиру рубить татарский отряд. Сила за царем. Ярлык — за Тверью. Суздалю или Рязани царь вряд ли ярлык даст. Их великое княжение чересчур усилит, все под себя загребут. Чересчур станут гордые и самостоятельные. А с Тверью вечно станут грызться. Друг на друга в Сарай доносить. Это и хорошо. Контроль!

Так что — не задержавшись для экзекуции и грабежа, отряд повернул обратно. Вернулся заметно быстрее всех прочих. Вот и повод для слухов: «Поди, буем в лоб получили и отскочили обратно». Это нормальная логика.

Что же до несожженного Волока, который Ламский, где через шестьсот лет прославится при обороне Москвы от немцев генерал Власов, став героем перед тем, как стать предателем... Зря, зря я отвлекаю вашу утомленную мысль от сверкающих лабиринтов XIV века, которые мы раскапываем под толщей исторических наслоений.

Понимаете, восемь лет спустя, уже умер Дмитрий Донской, а Владимир поссорился и помирился с его сыном, Великим князем Василием Дмитриевичем — вот только тогда тот пожаловал ему во владение Волок Ламский. Но не весь. Половину. $^1/_2$ часть. Как-то опять отжали. Потому что другой половиной продолжали владеть новгородские тиуны. Все еще. Это произошло в 1390.

А в 1393 Василий приказывает Владимиру, полководцу, захватить Волок! Весь. Это Москва гнет под себя Новгород: давит антимосковское восстание в Торжке, не желающем лишиться собственного суда.

Восстание подавили, ушли — и вскоре же новгородцы выдавили москвичей из Волока обратно.

В 1397 — Василий вновь захватывает весь Волок: отбирает двинские земли и окрест у Новгорода. Военные действия кончились — и новгородцы вернулись в свой Волок Ламский.

1398 — Василий занимает Волок и передает его литовскому князю Свидригайло на десять лет.

То есть. Не с чего Владимиру Храброму в 1382 году защищать Волок Ламский, который ему не принадлежит, и Москве на тот момент не принадлежит. И совать голову под татарские сабли, и лить кровь, и класть своих бойцов, и лезть в непредсказуемые неприятности.

А вот околачиваться с дружиной у дверей Твери — очень даже есть с чего. От родного Серпухова Волок Ламский — 250 верст. А отсюда что до тверских границ, что до литовских-смоленских — в любую сторону 20 верст. Раз — и там. Два — и здесь.

Возвращение блудного князя

А вот Кострому татары не тронули. Равно как и Галич, не говоря о Вологде и Белоозере. Хоть и московские города. Поскольку лежали далеко. И в стороне, на северо-востоке, в лесах. Кострома не так далече, но от основной территории Московского княжества была отделена землями суздальскими, ростовскими и тверскими. А к тамошним жителям у Орды претензий не было. И к ним заходить было не велено. Поэтому и была Кострома выбрана убежищем.

Но. Приказал бы Тохтамыш — достали бы Дмитрия откуда угодно. Не было приказано, значит.

Вернулся Дмитрий Иванович в свою опустошенную Москву. Один вернулся, без ансамбля. То есть о собранном хоть каком войске, им приведенном, воспоминаний нет.

Восплакал над ужасной картиной, сокрушился духом. Хоронить мертвых велел. Из летописи в летопись гуляет цифра: обещал платить людям по рублю за восемьдесят похороненных тел — и уплатил всего триста рублев. Из чего следует 24 000 захороненных. Не считая сгоревших в огне и утонувших в реке, куда многие бросались в поисках спасения от резни.

Учитывая, что не меньше недели-полутора понадобилось отрядам Тохтамыша, чтоб разойтись до указанных мест, совершить кару и разорение и вернуться обратно. И день-два после ухода Тохтамыша убедиться, что таки ушел. И уж пара дней гонцу до Костромы — 350 верст. И дня четыре Дмитрию с конвоем-охраной-дружиной какой-никакой добраться: коней гнать нельзя, бодрыми должны быть на случай ненужной встречи с татарами. То — добрался Дмитрий до Москвы никак не раньше середины сентября. Состояние трупов, пролежавших под солнцем и дождями конец августа и половину сентября, можно себе представить...

Об этом ничего не говорится.

А ведь люди, спасшиеся из Москвы до прихода татар, укрывшиеся в лесах и глухих деревушках, находились ближе Костромы и должны были вернуться домой, на пепелище, раньше. Они должны были начать хоронить мертвецов — жить-то дальше надо. О том нигде не упомянуто.

Остается и такой вариант: не из Костромы Дмитрий возвращался, получив весть об уходе татар. А раньше середины сентября пришел. И не в Костроме был, пока татары бесчинствовали. А ближе. Потому что свои тронуть его уже не посмеют, при татарах-то. А татары не станут. Хотели бы тронуть — повторяю, достали бы где угодно.

Это нельзя ни подтвердить, ни опровергнуть.

Но. Если татары не тронули никого из князей. Если ни у кого из князей не было неприятностей с ордынскими карателями. Если не сохранилось свидетельств, что кто-либо из князей от татарской конницы скрывался. То.

То. Остается лишь предположить, что князья были в этом массовом мероприятии заодно с татарами и против своих восставших смердов. О чем мы выше говорили.

Может, они не сразу заняли такую позицию. Может, сначала выжидали — колебались и взвешивали. Хорошо ведь жить без Орды! Независимыми и самозначимыми. Гм. Ну, раз все же конница пришла... Есть смысл продолжать оставаться князем. А не кормом для бродячих собак...

Зачем, зачем я пытаюсь сообразить, где был Дмитрий во время тохтамышевского московского рейда и когда он вернулся в Москву! Можно строить догадки и складывать гипотезы — но правды никто никогда не узнает! Что меняет это в нашей истории?!

Меняет. Многое меняет. Если ложь заменить на правду — от этого всегда много меняется. Ты реально знаешь, что произошло. И ты понимаешь, как устроены люди. И народы. И страны. И история. И лучше понимаешь, кто ты есть и кто тебя окружает. И тебе яснее становится настоящее и даже будущее. А уж за банальность сией сентенции — что пардон, то пардон!.. Но!!! Ты обязан отличать добро от зла. Вот для этого тебе нужна правда. А если ее нет? Пей и бейся в стенку головой!

Боже, как я хочу быть следователем. И чтоб в служебный транспорт предоставили машину времени. С ба-альшим кузовом, где поместится хорошая охрана. Чтоб не пришибли на первом же допросе.

Уж я бы их там спросил! Я бы им вопросиков назадавал. Позвенел пытошным инструментом. Они бы у меня попотели, покряхтели, попутались в ложных показаниях. Подноготная — вот правда!..

И только после этого материалы моих допросов засекретили бы, сложили в закрытых архивах и уничтожили при первой же смене власти. Как там писал веселый пиратский писатель? Менее всего капитан Левассер интересовался правдой о себе. М-да. По-моему, под именем Левассера подразумевался весь народ, и отнюдь не только русский...

Так что, ребята, велел Дмитрий Донской срочно строить какое-никакое жилье до наступления холодов. И нести ему налог. Погорельцы не погорельцы, а деньги князю давай! У него подлые татары казну сперли княжескую — восстановить надо, нет? И налог в Орду платить придется, сами понимаете.

Любой порыв к свободе кончается тем, что князья опять грабят народ. Видимо, так устроена Вселенная. Чтобы быть в ней оптимистом — надо уметь радоваться тому, что у тебя таки есть что еще грабить. Значит, ты не вовсе нищий. А если вовсе нищий — продадут в рабство. И это хорошо — будут кормить хоть как-то, и не надо заботиться, что делать завтра.

А потом — а что потом? Прибыл послом из Сарая ханский мурза Карач и объявил Дмитрию волю Тохтамыша: старшего сына прислать с московским посольством в Орду. Дары и поклоны! Налоги будут увеличены. На этих условиях хан прощает своему беклярбеку промахи и оставляет в должности.

Ну что. Одиннадцатилетний Василий с группой бояр прибыл в Сарай-Берке — и Тохтамыш пожаловал Дмитрию великокняжеский ярлык.

И все, можно сказать, пошло по-старому.

Православные скрепы

Дмитрий отправил гонца в Тверь — к митрополиту Пимену. Бежал из своей Чухломы? Ладно, форс-мажор был, знаю. Ну, нашел время по гостям прохлаждаться — дел дома полно! Жду тебя в Москве. Теперь ты законным митрополитом будешь. Али не рад, отче?

Киприану предписали также явиться в Москву — для демонстративной смены караула. Для того лишь, чтобы принять обвинения и убираться вон. Тут-то ему припомнили анафему, которой он предал Великого князя пару лет назад, позорно выгнанный из Московии! Киприана чтоб духу больше на Москве не было! Ну, и выгнали еще раз. Не оправдал нашего доверия Киприан... ох как не оправдал! (Он еще переживет Дмитрия и вернется снова!)

Произведя эту православную рокировку, Великий князь еще раз дал понять, кто тут великий, а кто никто.

Пимен приехал в Москву и мгновенно проявил больше самостоятельности, нежели от него ожидалось. Через год Дмитрий Иванович сообщил, что Пимен ему более нежелателен. Церковь встала с колен на дыбы. На тебя, княже, митрополитов не напасешься!

Где ваш Дионисий, поинтересовался Дмитрий? Дионисий на сей момент боролся с ересью в Новгороде и Пскове. Ему пока не удалось стать митрополитом — во время знаменитого «тендера на троих при возведение в сан» несколько лет назад он был удостоен Патриархом Константинопольским лишь как архиепископ.

Дмитрий согласился терпеть митрополита Пимена временно. И отправил на него жалобы и пожелания в Константинополь. Одновременно повелел ехать туда же Дионисию — получать митрополита, князь велел.

Преуспел Дмитрий на пятьдесят процентов. Дионисий стал митрополитом, но из Константинополя в Москву не вернулся. Проезжая через Киев, он был задержан киевским князем Владимиром Ольгердовичем, литвинским то есть князем. Почему? Потому что Дмитрий нанес обиду Киеву, Литве и Малороссии, самочинно отлучив от Москвы митрополита упомянутых — Киприана. В качестве симметричной ответной меры Владимир Ольгердович задержал нового митрополита — мотивируя тем, что Дионисий теперь — митрополит Киевский и Всея Руси, так здесь как раз Киев. И в 1385 в Киеве Дионисий и скончался.

В Москву же прибыли уполномоченные Патриарха — низвергать Пимена, на что имели обвинительные документы с решением. Пимен опротестовал решение, продолжал исполнять должность, рукополагал епископов, ездил в Константинополь хлопотать о пересмотре дела. Умер он через полгода после Дмитрия Донского, в том же 1389.

...После них Киприан вернулся митрополитом в Москву и оставался таковым еще семнадцать лет, до смерти. Жизнь он положил на единство православной церкви. Что, безусловно, было духовным аспектом единства русского народа. Нет, резать друг друга это не мешало. Религиозное единство — недостаточное условие для единения народа. Но необходимое.

...Сергий Радонежский, умерший в 1392, через полвека был канонизирован как общерусский святой.

Мирное восстановление

И первое же, что предпринял Дмитрий через несколько недель после возвращения в Москву — это карательный поход на Рязань. Еще 7 октября он разбирался в Москве с вызванным Киприаном — а в ноябре уже снег ложится, коней кормить трудно, воевать холодно. Так что — тут же в октябре Дмитрий и разорил в очередной раз Рязань.

Типа на татар управы не имею — так хоть этим вломлю, они давно напрашивались.

И войско на это мигом у него нашлось!

Летописи отмечают, что было от москвичей больше разору рязанцам, нежели от татар допреже того. И что Тохтамыш, возвращаясь, Рязань разграбил, несмотря на ее помощь против Москвы. А Дмитрий уже потом.

Вот насчет татар на отходе — это представляется чистой выдумкой. Должной как-то смягчить резню русских русскими (рязанцев москвичами). Мол, это татары начали. А Москва уже потом докончила.

Насчет татар — ох вряд ли. Разорять собственную верноподданную область — как минимум дико. Зачем, почему, чего ради? Чему не было никаких причин — то вряд ли было. Награждать за верное служение наказанием — может жадный маньяк, ну бандит, но не государственный лидер.

На Рязани Дмитрий оттянулся. Бей своих, чтоб чужие боялись. Я тебе покажу своего, сволочь рязанская. М-да, это все об единстве.

Ну — через три года Олег Рязанский нанес ответный удар: вырезал и разграбил Коломну.

А еще через год, в 1386, новгородские ушкуйники, шалившие на Волге, ограбили караван, принадлежавший самому Великому князю. Ушкуйники были как бы новгородскими варягами: уходили на грабеж рек и берегов, и даже узкие суда их — ушкуи — были совершенно подобны норманским драккарам; только вместо голов дракона воздетый форштевень украшался изображением головы медведя.

Дмитрий повел войско на Новгород и содрал с него 8 000 рублей. Это было по-хозяйски. Именно столько он отослал недавно в Орду как налог, зажатый за два года — 1381-82. И теперь компенсировал себе расходы.

...Когда в 1388 году неугомонный Тохтамыш пошел на своего благодетеля Тамерлана — в его войске было немало русских (отмечал персидский историк). На Русский улус наложили серьезную воинскую повинность...

Княжеская дружба

Немедленно по возвращении Тохтамыша в Сарай туда отправился Михаил Тверской — добывать ярлык на Великое княжение Владимирское, то есть должность старшего из начальников Русского улуса. По размышлении и взвешивании за и против хан объявил свою волу: ярлыка не дал.

Но. Поступил с государственной мудростью. Во-первых, дал Михаилу ярлык Великого князя Тверского. Тем самым Тверь сделалась полностью независимой от Москвы. Сама собирала и сдавала налоги. И никак Москве не подчинялась вообще.

Во-вторых, Тверь вернула себе Кашинское княжество на правах удела.

Как вы чуете, пока русским единством не пахнет.

В 1383 умер Дмитрий Суздальский. Ярлык на великое княжение Нижегородское и Суздальсукое успел было выхлопотать в Орде младший брат усопшего Борис Константинович. (Повторим: «Великое» здесь означало, что княжество большое, имеет много уделов, князь его Великому князю Владимирскому и Московскому не подчиняется, налоги собирает и сдает сам.)

Но. Были сыновья усопшего Дмитрия Василий Кирдяпа и Семен, опять же, Константинович. Которые не в одиночку под стенами Москвы недавно стояли меж татар, а полки суздальский и нижегородский за собой привели. И те полки стены безуспешно штурмовали — а потом город успешно вырезали и грабили. Вот эти два обстрелянных... обрубленных?... бывалых фронтовика, короче, предъявили претензию. И в Суздале сели сами. Ну, это длинная история на сто лет; факт тот, что Суздаль и Нижний со всеми уделами и волостями остаются независимым и мощным княжеством. Готовым в любой удобный миг вцепиться Москве в нежное место. Распри продолжаются.

Очередную междоусобную войну Москвы с Рязанью сумела прекратить церковь и личный авторитет Сергия Радонежского.

Привет, братан!

В несколько устаревшем и склонном к просторечию языке «братан» обозначал двоюродного брата. Что в точности соответствует родству Дмитрия Донского и Владимира Храброго.

А! Умер Дмитрий странно: здоровяк, нет сорока, зачах и угас за месяц. Отравили?! Свели счеты?..

В 1388, последний год жизни Дмитрия, Владимира постигло сильнейшее разочарование в жизни. Он отведал братской благодарности.

По лествичному праву, традиционному на Руси, князю наследовал старший мужчина в роду одного с ним поколения. То есть после старшего брата — княжили младшие по очередности старшинства, уже затем — дети старшего брата, тоже по очередности старшинства, и так далее. А поскольку все русские князья (в то время) были рюриковичи — то все мужчины одного поколения де-юре считались братья.

Ну, к концу XIV века это лествичное право не всегда соблюдалось. Но все же. Предпочиталось. Предписывалось. Никто его не отменял.

Короче, Владимир Храбрый, рюрикович, тридцатипятилетний мужчина большой силы и отменного здоровья, готовился принять великое княжение, ежли братан Дмитрий преставится. И горе утраты уравновешивалось радостью обретения.

Но Дмитрий Донской еще раз доказал свою незаурядность. Он отобрал у Владимира его города Дмитров и Галич. Дмитров отдал сыну Юрию, а Галич — сыну Петру.

Поскольку у Владимира, разумеется, к моменту возможного наследования образовалась группа поддержки из серьезных людей — Дмитрий арестовывает всех случившихся в Москве серпуховских бояр брата. Что вполне предусмотрительно и логично.

После чего престол завещает сыну Василию, каковое распоряжение подкрепляет всеми возможными юридическими и церковными подтверждениями.

Оскорбленный и разъяренный Владимир не отдает и не принимает прощения полуживого Великого князя и уезжает вон. И едет — в Новгородскую Республику! В Торжок он едет. И там живет два года.

Можно себе представит, что он наговорил братану, если еще год после его смерти не решается вернуться в родной Серпухов и вообще на территорию Московского княжества. (А вот перешел ли он на службу Новгороду — мы никогда не узнаем: после разорения Новгорода Иваном Грозным все летописи и прочее были уничтожены, или избраны лишь нужные, или переписали что надо.)

Н-ну, а потом молодой Великий князь Василий, утвердившись в наследовании, получив ярлык, подписал с ним мир. Пожаловал Ржев и уже помянутую нами половину Волока Ламского, сохранил за ним $^1/_3$ доходов с Московского посада... Владимир вернулся, и стал жить дальше.

...В 1408 году он будет руководить обороной Москвы от рати хана Едигея. Трехнедельная осада кончится ничем, нашествие покатится вспять, Владимир Храбрый в последний раз в своей жизни примет воинские почести. Ему исполнится тогда уже пятьдесят пять лет.

Держи на запад!

Это краткое предписание из старой парусной лоции относилось лишь к проходу Магелланова пролива из Атлантического океана в Тихий. Еще так назывался один рассказ Джека Лондона. Политической окраски фраза не имеет.

Чего нельзя сказать о нашей истории. Нам осталось лишь кратко взглянуть на общую картину — или, вернее сказать, на политическую карту Руси и окрестностей. На карту в динамике. Меняющуюся.

Витовт!

В нашу историю вмешивается гигант.

Великий князь Литовский.

О Витовте написана библиотека, его биография в один том не вмещается, все его деяния и повороты судьбы не могут быть здесь изложены. Отметим лишь то, без чего нельзя обойтись. Потому что роль его в судьбе Руси на протяжении полувека после Куликовской битвы — несравнима ни с чьей.

Ровесник Дмитрия Донского, родился около 1350 года. Но прожил вдвое дольше! 80 лет — до 1430! Племянник Ольгерда, сын его брата Кейстута, двоюродный брат Ягайло. После того, как Польша и Литва политически объединились, заключив Кревскую унию, Ягайло стал с 1386 королем Польши. А Витовт — Великим князем Литовским. Такое образовалось конфедеративное государство.

Мы пропускаем перипетии его борьбы за власть в гражданских войнах. А начнем с 1395 года, когда разбитый Тамерланом Тохтамыш нашел убежище в Литве (заметьте: надежна была Литва). Тамерлан вернулся к себе в Среднюю Азию — а Витовт перешел Дон и двинулся на ослабшую Орду. Разбил татар у волжского берега, привел много пленных.

В следующем походе разбил крымчаков. Все это совершала славянская армия.

Витовт мечтал объединить всех русских и вообще восточных славян. Он почти сокрушил Золотую Орду! Но в 1399 году проиграл битву на Ворскле — недалеко от той самой Полтавы. В его войске были подданные Литвы, были поляки, были и русские князья со своими полками, и татары Тохтамыша, и даже союзники-крестоносцы. Хан Тимур Кутлуг и темник Едигей разбили его войско вдребезги...

Витовт был главнокомандующим в исторической Грюнвальдской битве, где были разгромлены рыцари-крестоносцы и навсегда закатилась звезда Тевтонского ордена.

И вот дочь его Софья была выдана замуж за Великого князя Московского Василия, сына Дмитрия Донского. Что ничуть не помешало, а скорее даже давало повод Витовту трижды вторгаться в пределы Московского княжества.

Разумеется, он не мог хоть раз не разорить княжество Рязанское. Кажется, это стало просто традицией.

Все Смоленское княжество было при нем в составе Литвы. Новгородская и Псковская республики находились под его влиянием, он вмешивался в их дела постоянно.

На востоке его владения простирались до Можайска и верховьев Оки; Тульская земля вошла в его пределы.

...Что мы видим на карте по сравнению с 1380 годом? Что Западная Русь, Литовская, стала больше — а Восточная Русь, Татарская, стала меньше. Этот день победы порохом пропах.

...В своем завещании Великий князь московский Василий Дмитриевич, наследовав недолгое здоровье от отца, отдавал жену и сына под защиту Витовта.

И Софья, вдова его, официально передала Московское княжество под руку Витовта, отца своего.

Он заключил договора с князьями Тверским, Рязанским и Пронским, что они становятся его вассалами.

Ясно ли?! Литва объединила всю Русь!!

...Прошло двадцать лет по смерти Дмитрия Донского, и сорок лет, и держава его уменьшилась и ослабела. Истощение в непрерывных войнах не принесло ей могущества; и славы не принесло.

И милостив был к нему Господь, что не дал увидеть, как внуки его переходят под литовское покровительство, и княжество его встало под литовскую руку. И вспомнишь ты Библейское, о том, что покарает Господь не тебя за грехи твои, но тебя через кару потомкам твоим покарает. И проклят будет род твой, и пресечется в проклятии.

А двести лет до свершения кары пройдут, и не убудет у Бога времени.

И не дано тебе знать, каким путем свершатся замыслы твои и исполнятся чаяния твои.

Подобьем бабки

Куликовская битва велась отнюдь не всей Русью, но лишь Великим княжеством Владимирским и Московским, силами входивших в него уделов и малочисленных союзников. Подавляющее большинство русских княжеств в той обстановке «войны всех против всех» отнеслись к Москве недоброжелательно, или откровенно враждебно, или в лучшем случае нейтрально. Это никак не было общенациональным сражением против общего врага; и близко нет.

Интересы русских совпали с интересами законной власти Орды, стремившейся к стабилизации и прекращению междоусобных войн.

Масштаб сражения не был грандиозен. (Вот к битве на Ворскле Витовт собрал огромное войско со всех земель, мы упомянули — и его численность ученые оценивают в 35–40 тысяч человек. Войско Тимура-Кутлуга и Едигея достигало 80–90 тысяч. Везде патриотический героизм — врагов больше, нас меньше!) Мобилизационный потенциал Москвы был в три-четыре раза ниже объединенно-литовского — то есть никак не больше 15 тысяч конных и пеших. Ну так и Мамаю достаточно малого перевеса: к своему регулярному тумену набрать еще столько же бойцов отовсюду — вот вам 20 тысяч. (Не забудем, что два тумена покорили всю Русь при Батые.)

Самое тяжкое — но и характерное! — что этой битвы, не исключено, и вовсе никогда не было...

И — и! — в результате этой битвы положение Московии только ухудшилось.

Что же касается рождения национального единства, рождения русского духа, объединяющего народ! — ну так это не из чего и никак не следует. Ни через год, ни через десять. Что — через семь поколений проявилось?..

Так что же было?..

А было много лет несчастий, распрей, вооруженных конфликтов, интриг и захватов. Была депрессия, уменьшение политического влияния Москвы — и все большее подпадание под власть Литвы. Русские земли втягивались в Великое княжество Русское, Литвинское и Жемайтское, как пылесосом.

Сто зим, сто лет

Что — сто лет? Вон сейчас мало кто и знает, что было тогда: сто лет раньше, сто лет позже, без разницы. Не зацикливаясь на точных датах (а их множество), возьмем и мы — как Пушкин! наше все! — Прошло сто лет. И юный град, полнощных стран краса и диво... Нет, это еще нескоро город вознесется из топи блат. Через сто лет после Куликова поля другие вершились дела. Но — в верном направлении!.. Назло надменному соседу.

Если сын Дмитрия Донского Василий и внук Василий II были людьми характера умеренного и на великие свершения не покушались — то правнук отыгрался за них. Правнук Иван, Иван Васильевич, Иван III, Великий, отличался норовом прадедовским. Но ум имел извилистый, расчетливый — и волю стальную. Властолюбив и жаден безмерно, и совестью не отягощен. Одно слово: вот это князь так князь. Настоящий правитель.

Орда к тому времени подразвалилась. И стояние на Угре знаменитое лишь зафиксировало положение: налог перестали платить четырьмя годами раньше. «Иго» кончилось само собой. Вот до этого хаживали татары на Русь — а с этого перестали. Запустение постигло Имперский Улус. После Тимура, прошедшего там ураганом, так толком и не восстановились.

Обдрябли от легких денег, привыкли к богатой жизни и власти, переругались промеж собой и растащили империю по приватизированным клочьям — обычный конец великий государств. Закон социологии, понимаешь.

То есть. Ордынский фактор. Слетел со счетов. Быть готовым к обороне следовало — но включать Орду в свои политические расчеты время ушло.

А на Руси, меж тем, обруселых татар служило немало. Люди были верные и бойцы хорошие. Школа!

Так что здесь Иван Великий получил большой плюс.

А Литва немало истощилась в междоусобных войнах, в свою очередь. И с этой несколько утомленной Литвой, занятой собственными делами, Иван договорился о зоне интересов: мы не лезем к вам — вы не лезете к нам. И с этой стороны также получил свободу действий внутри государства.

А государством этим еще только предстояло стать бывшему Русскому улусу Орды. То есть Руси Северо-Восточной, Руси Татарской, Московии. Пока это было еще не государство. Пока это был конгломерат княжеств и земель.

Но. Бояре уже не смели перечить Великому князю. И церковь, умудренная опытом и скрепленная естественным отбором, волю его принимала — а работала идеологически на единство земель русских. На религиозное, духовное единство.

И Иван Васильевич продолжил с того места, где прадед остановился. Но — умнее продолжил. Он заручался поддержкой князей — и гнул под себя только одно княжество. Очередное. Но это очередное — переваривал и усваивал. Признавал только подлинную аннексию. Включение в состав единого государства.

Кадры решали все. Князь или наместник мог быть только своим человеком. Свой человек следил за уровнем доходов и сбором налогов. Свой человек обеспечивал мобилизацию в войско. То есть: руководство силовых и фискальных ведомств полностью переподчинялось центру.

А идеологическое обеспечение было? А как же!.. Это — всегда и везде было. Людям на все нужно объяснение — хоть какое, хоть примитивное, но чтоб они понимали — или думали, что понимают: все делается для их собственного блага и для блага общего, все происходящее отвечает их собственным интересам.

Объединение под одну великокняжескую руку — обеспечит нам защиту от Орды и Литвы, прекратит усобицы и поднимет уровень блага. Что — даже это сложно?! Ну тогда так: Великий князь имеет право от Бога править всеми вами, он мудр, силен и под ним будет вам лучше всего. Не будет?! Терпи, сука, не смей противиться! Мир так устроен!

Силой и хитростью, подкупом и угрозами Иван строил и крепил вертикаль власти.

А если в военных целях Иван заключал союз с крымчаками-мусульманами против литовцев-христиан — так на то она и политика. У нас нет друзей — у нас есть интересы.

Московия росла, ширилась, втягивала в себя соседей — и иной власти, кроме жесткой вертикали, просто не понимала.

Еще сто лет спустя

А еще через сто лет появился Иван Грозный. Чингизид по одной линии, как и все московские князья. И потомок Мамая — по другой, сын Елены Глинской, из рода князей Глинских, пошедших от Мамая, скрывавшегося некогда, опять же, в Литве.

И вот при Грозном абсолютное самодержавие на Руси достигло высоты, в дальнейшем неизведанной. Садист, маньяк, изувер, переходивший от чудовищный казней к молитвам — он навел страху на народ. Ни один приближенный боярин не мог быть уверен, что через минуту его не прикажут садить на кол или резать на куски.

При этом изувере была взята Казань и аннексировано Казанское ханство. Отвоевывались русские княжества у Литвы. Шли Ливонские войны. Ермак покорял Сибирь!

Народ? Трепетал, льстил, поддакивал, лизал, угождал. Не смел не одобрить! Казнимый корчился на колу — и славил Грозного! Во-первых, семья осталась, с ней можно страшное сотворить. Во-вторых — могут и на колу продлить жизнь и таким мукам подвергнуть, что мечта о смерти самой сладкой будет.

Матрица Орды

Первым предложил русским князьям титуловать Хана Орды царем был Ярослав Всеволодович. Однако с середины XV века власть Орды над своим Русским улусом иссякла и исчезла — вместе с ней исчезло титулование царем: за отсутствием надобностей и контактов.

Иван III женился на племяннице последнего императора Византии Константина — на Софье Палеолог. Византия пала, завоеванная Мехметом II. Племянница последнего императора являлась наследницей по женской линии, хотя прямого политического значения это не имело. Мало ли кто кем себя объявит.

Но. Муж наследницы и Великий князь Московский прекрасно использовал представившуюся возможность. И объявил себя самодержцем византийским. Ну, насколько там византийским — но самодержцем, было у них там такое слово.

И этот первый русский самодержец — стал называть себя царем русских. Не в качестве постоянного титула — но нередко: в важных документах, при церемониях и переговорах и т.п.

Причем. Это «царствование» и «самодержавность» как понятия весьма соответствовали практике. Ибо власть самодержавца и царствователя делалась все неограниченнее год от года.

Ибо за двести лет жизни в Орде было впитано понятие: царь — это и есть закон. Воля царя — это суть мира. Возражать царю — не смеет никто.

Представление о царской власти в Московской Руси — было совершенно азиатским, неумеренным, абсолютным.

А уж когда царем нарек себя Иван Грозный — царская власть простерлась дальше всех мыслимых пределов. И как закон впечатывалось в генах представление: лизать пыль перед властелином — и требовать того же от подданных! Чувства собственного достоинства — не существовало. Достоинство полагалось в беспрекословном и точном выполнении царской воли.

Царь мог все пожаловать — и все отобрать вместе с жизнью. Мог повелеть, чтоб собрали и обнажили сто или тысячу самых красивых девушек — и он пойдет между ними выбирать жену. Мог приказать сыну перерезать горло отцу. Приказать боярину броситься с колокольни. Приказать удавить митрополита.

Никаким королям подобное не снилось. За подобное был убит Калигула — начальником своей охраны...

...Неофит всегда ревностнее давно уверовавшего. Усвоив монгольские порядки — русские довели их до логического завершения, до абсурда, до ужаса и саморазрушения.

Отныне государство российское будет строиться как пирамида, на вершине которой один человек отправляет все властные обязанности. И назначение нижних слоев пирамиды — внедрять их в жизнь без возражений и обсуждений. Решает один — и он же думает, ибо мысли прочих ничего не стоят и могут отбрасываться в любой момент.

...Вот таков был путь централизации власти и объединения государства!

И вот что неизбежно проистекло из начинаний

Дмитрия, неловко пытавшегося намотать все вожжи власти на свои руки и подгрести все земли под свой зад.

Вот таков путь единства нации.

Формирование национального характера

Сначала викинги и шире — вообще норманны — колонизовали славянские и финно-угорские племена. Колонизаторы вскоре ассимилировались в покоренном народе — но сословная разница осталась навсегда. Князь с дружиной был принципиально отделен от податного сословия, как сословие правящее, военно-политическое. Этническое различие исчезло — но перешло в политическое качество. То есть: народ должен был подчиняться. Его мнение в лучшем случае могло выслушиваться — и то редко и вряд ли. Государство — это был правящий класс. Интересами государства были интересы правящего класса. Народ можно было продать на византийском рынке в рабы, если приспела нужда в деньгах.

Принятие христианства через византийскую практику произошло по приказу главы государства. Власть духовная идеологически обосновывала и духовно утверждала правоту власти светской. Христианство на Руси не возникло как протест низов, самоутешение и чаяние лучшей жизни в загробном мире. Но как приказ начальства: верить так, молиться так, а одобренные начальством священники настроят ваши души заблудшие так, как надо.

Принятие салического права, произошедшее через перевод и принятие «Салической правды» как «Русской правды», юридически закрепило сложившееся положение. Закон упорядочил жизнь, оговорил случаи, корректировал полную власть князей, произвольно соотносившуюся с традицией. Закон закрепил структуру социума и форму подчиненности народа.

Нашествие монголов принесло новый Закон. Он регламентировал отдельные стороны жизни, был жесток — но логичен и прост. В нем была справедливость — жестокая справедливость приказа и повиновения. Сотник, темник, нойон, хан — мог приказать все, ибо организация государства была военной организацией. Дело подчиненного — беспрекословное выполнение любого приказа. И – важно, принципиально: для своей (государственной) надобности хан мог кого угодно предать смерти без вины. (В Европе было то же! Но там старались подбить под это юридическую базу. Здесь — не утруждали себя; начальнику виднее.)

За двести лет нахождения в Орде — естественно, Московия прониклась ордынскими взглядами на жизнь и политику. Начальство превыше всего. Одно государство — одна властная вертикаль — одни федеральные законы — одна ментальность при нахождении в Ставке — одни пиры и один язык общения. Ну, а взгляды и манеры начальства автоматически матрицируются нисходящими слоями социальной пирамиды.

...Вот это наложение монгольского закона и социального менталитета — на отношения викингов с покоренными племенами — с привнесением христианской идеологии смирения и почитания любой власти, ибо она от бога — это и сформировало наш характер.

Еще раз:

Викинги и лесные племена: полное владычество — и покорность. Сила есть право. С властью спорить невозможно.

Христианство по приказу сверху: смирение и покорность властям. Утешаться можно в душе — а по жизни твой долг есть послушание.

Порядок в Золотой Орде: каждый лижет зад начальнику и заваливает подарками, клянясь в любви и верности гениальному и милостивому повелителю. На брюхе подползает и прах целует. Но уж от собственных подчиненных требует того же самого, да еще пуще: отыграться.

Попытка к бегству

Великий князь Владимирский и Московский Дмитрий Иванович Донской — и закрепил навсегда эти основы, эти психологические и социальные скрепы русской жизни.

Привилегированные сословия всегда много о себе мнят. В периоды становления абсолютизма аристократов вечно приходится укорачивать на голову.

Голова Ивана Вельяминова была первой головой в пирамиде русского абсолютизма. Бесталанный тысяцкий, не допущенный до должности, вряд ли мог понимать, каким историческим, каким знаковым событием стала его казнь... Да нет: все понимал он, и не он один, и все сословие воспротивилось этим пугающим изменениям, весь народ устрашился!..

Его чувство справедливости, собственного достоинства, сознание своей значимости — были оскорблены! И он предпринял попытку восстановления справедливости, достоинства и чести: убрать негодного князя, нарушившего традицию и социальный договор.

Иван проиграл. И — опять же вопреки закону, справедливости, чувству собственного достоинства — был лишен головы. И отчего имущества.

И тогда бояре поняли! И запомнили навсегда! Детям своим передали и их детям! Что выступать против государя — нельзя! Что бы он ни сделал, как бы ни поступил, чего бы ни лишил тебя, как ни унизил — нельзя выступать против государя! Нельзя служить его недругам! Нельзя показывать, что у тебя есть чувство собственного достоинства! Ничего у тебя нет — кроме его милости! Милости давать города и должности в кормление — и милости отбирать все.

И когда любимый ученик великого митрополита Алексия, почитаемый всеми Сергий Радонежский остался без митрополитства, а избранный архимандритами к посвящению в митрополиты Дионисий был брошен в подклеть, а митрополит Пимен сослан в Чухлому, а митрополит Киприан ограблен, унижен и изгнан — навсегда запомнила русская церковь, что Богово она получит от Бога — но здесь, на земле, в юдоли слез, только одна над ней настоящая власть — власть Великого князя! И воля Великого князя больше значит, чем весь церковный клир во главе с Патриархом Константинопольским и его Небесным Покровителем. И подсократилась церковь в своих земных амбициях, и всегда помнила об узде, которую ей дадут почувствовать в любой миг...

И когда княжьи люди, поставленные от Дмитрия вместо прежних от тысяцкого, стали драть с купцов четвертую шкуру — осерчали купцы, тряхнули мошной, избрали промеж себя лучших людей — и купили великокняжеский ярлык князю Тверскому. Не позволил Дмитрий стать Тверскому князю над собой! Передоговорился, перехлопотал, переплатил. И четыре года ловил Некомата Сурожанина, самого богатого и активного из купцов-заговорщиков — и казнил! Как и Ивана! Без закона на то — своей княжьей волей казнил!

И узнали купцы, кто в доме хозяин.

И народ знал — несправедлив Великий князь, и поборы дерут его люди, и войны постоянные не прекращаются.

И — выкинули такого князя! И призвали себе нового, по своему желанию и разумению.

И быстрее вихря примчалась татарская конница! И умертвила всех виновных в непокорности! И невиновных тоже умертвила — потому что весь народ отвечает за зло начальных своих людей.

И больше никто не смел выказывать недовольство Великокняжеской властью. Неприкасаем был стальной каркас государственной пирамиды, венчаемой престолом! И лишь один человек мог повелевать, приказывать всем и требовать исполнения всех своих повелений — Великий князь; монарх; самодержец; царь.

Дмитрий Донской надорвался в этом сверхчеловеческом усилии. Но вся его жизнь была подчинена одной цели: беспрекословному единовластию.

Потом... Потом природа отдохнула на его сыне и внуке, как обычно и случается. А потом началось оформление царства и царизма.

Но почему-то — почему-то — последователи и потомки не стали замечать в Дмитрии родоначальника и основателя русского самодержавия. Создателя государственной конструкции.

Сейчас мы объясним, почему это.

Суть жестокого единства

Объединение великого государства — процесс жестокий. И более того: экономически, психологически, социально — часто не оправданный. А скорее разрушительный материально и морально.

Когда Саргон в XXIII веке до Нашей эры объединил царство Аккада и Шумера — его именем пугали детей; взрослые пугались сами. Завоеватель Саргон стер и испепелил два десятка цветущих городов-государств. Население уменьшилось, урожаи упали, ремесла пришли в бедственное состояние, на месте садов и полей ветер гнал песок пустыни.

Но. Прошло время. Родились и выросли дети. Встали из развалин города. Сады и поля вновь давали урожаи. И при этом! Не было больше междоусобных войн. Не было везде своего богатого царского двора и дармоедов-вельмож. Способные к наукам и ремеслам юноши стекались в столицу. Средства объединенного царства позволяли содержать библиотеки и кормить ученых и изобретателей. Единое профессиональное войско гарантировало внешнюю безопасность.

Хаммурапи в XVIII веке до Нашей эры проделал в том же Междуречье примерно то же самое. И создал просвещенное государство, и написал великий свод законов.

Чтобы наслаждаться преимуществами могучего и богатого государства — его наукой и искусством, его комфортом и безопасностью, его перспективами и карьерами — его надо сначала создать. Это болезненный процесс. Как любая серьезная реформа.

А любая империя существует в динамическом равновесии центробежных и центростремительных сил. И вот, чтобы преодолеть сопротивление разбегающихся, центробежных сил на этапе создания империи — а каждое маленькое государство стремится сохранить и укрепить свою независимость, — чтобы преодолеть нежелание мелких собираться в единую общую кучу — надо прикладывать силу! Прикладывать центростремительную силу! Которая соберет мелких в кулак, преодолеет их сопротивление, сдавит, слепит, заставит диффузировать одно в другое. И будет постоянно, профилактически, в зародыше давить попытки к разбеганию.

Период объединения — период славный, но жестокий. Жестокий — но славный. Он прогрессивный — исторически. То есть в истории будет прогресс. Когда-нибудь, значит, будет лучше. А не исторически, вот сейчас — будет хуже. Высшему начальству, может, еще не очень хуже. Хотя тоже — походный шатер вместо палат в тереме. А уж рядовым воинам да работягам — тихий ужас.

На уровне субъективном, психологическом, мотивом к объединению государства служит властолюбие и честолюбие, жадность, авантюризм, агрессия. Жажда приключений, любовь к славе, требующая выхода энергия.

На уровне умственном, идеологическом — завоевателям-объединителям объясняют про Цезаря и Александра, про славных предков и подлых соседей-врагов, про то, что завоевать — это благо. И вообще Тимур-ленг любил повторять: «Этот мир слишком мал, чтобы иметь больше одного повелителя». Подчиняйтесь все мне — вам же лучше будет!

На уровне базовом, энергетическом, личности и массы испытывают потребность в совершении максимальных действий, в максимальной реализации всех своих сил и возможностей. Завоевать — это круто! — чего же еще круче-то.

На уровне социальном: в государстве доминируют или силы центростремительные — расширяться, или центробежные — распадаться. Время от времени, в зависимости от размеров, сложности и сроков существования — верх берут силы те или иные.

Существование любого государства подобно пульсации: от зарождения оно расширяется, затем распадается, снова расширяется в чуть иных очертаниях, снова распадается, достигает максимального размера — и, продолжая пульсировать, распадается на мелкие клочки.

Процесс это объективный, на него можно отчасти влиять, но нельзя изменить в принципе.

Но! Чем мы должны закончить эту главу. Но! Никогда в истории граждане государства не отказываются от своей независимости, чтобы объединиться с соседями в одно государство. Ради удобства, выгоды, общего дела. Ни-ко-гда! Вот из духа национального единства, дружбы, культурного родства и т.п. — никогда! (Исключение — уйти под власть могучего и терпимого к тебе соседа ради защиты и самосохранения, иначе другой сосед тебя уничтожит: Армения меж Турцией и Россией как пример).

Так что. Будьте уверены. Если русские княжества в конце концов объединились в одно огромное государство. То не от любви большой и не духовного родства.

Кстати. У эстонцев, чеченцев, узбеков и чукчей — много было духовного родства перед тем, как они влились в братскую семью российских народов? А разбежались потом чего? Не смешите большие батальоны.

Ордынская карта

Если вы посмотрите на карту Российской Империи 1913 года. Или Советского Союза года 1991. А затем сравните их с картой Великой Монгольской Империи года, скажем, 1300. То окажется. Что территории двух этих держав совпадают практически полностью.

Мы унаследовали Великую Орду — в прямом смысле!

Дальний Восток, Приморье, Забайкалье, Манчжурия — на востоке. Киевская Русь, Северное Причерноморье, выход до Балтики — на западе. Кавказ, Каспий и Средняя Азия — на юге. Вся Сибирь, Алтай, Саяны, верховья Оби, Лены и Енисея. Только Приполярье и Заполярье не входило в Монгольскую Империю, тундра и лесотундра с редкими и малочисленными северными племенами была ей без надобности, как места к обитанию непригодные; снежная пустыня.

Сегодня в этнографии и этнологии норовит господствовать географический детерминизм. То есть образ жизни народа, его политико-экономическое устройство и ментальность определяются прежде всего условиями обитания. Местом проживания определяются. Аж на внешний облик условия влияют: рост, сложение, черты лица и цвет кожи. Генетика? Хм, конечно... но фенотип изменяет постепенно генотип.

То есть. Где ты живешь — тех мест ты и продукт. С этой точки зрения гнилой и растленный Запад веками считает русских потомками и преемниками татар, монголов, азиатов и загадочных скифов. А мы считаем себя либо европейцами, либо евразийцами.

Но. Остается фактом. Что когда с рубежа XVI века Русь стала превращаться в Россию — расширение происходило более на Восток, нежели на Запад. По мере распада Монгольской державы образовывался своего рода политический вакуум на ее месте. Ну, не вакуум — но область пониженного политико-экономического давления, а также демографического и научно-технического. Огромные азиатские пространства остались в феодально-кочевом средневековье. И восьмисотенный отряд Ермака мог покорить Сибирское ханство Кучума.

Казачий фронтир раздвигал русские пределы все дальше на восток. Земли бывшей Орды переходили в русское владение. В этом русском было немало монгольской, татарской и кипчакской крови.

Отбивая и наследуя небывалые просторы — русские наследовали и психологию владельцев и обитателей небывалых просторов. Дух полной воли — пока начальства нет, и раболепной зависимости — когда начальство рядом.

...Современные итальянцы, конечно, не сильно наследники Античного Рима, хотя любят так считать. Но уж не болгар и ливийцев они наследники, и даже не германцев, даже не спорьте; традиция давно устоялась.

Так же и современные русские — наследники Великой Монгольской Империи больше, чем кого бы то ни было другого. Это, так сказать, история с географией. Не считая политики с психологией.

Славяне, норманны, тюрки, финно-угры — это все были «прото-русские». Язычество, византийское христианство, кириллица как отгреческая азбука — это был замес начальной русской культуры. А потом состоялись два века жизни в Великой Орде с формированием ее психологии и социальных институтов.

И первый настоящий русский царь — Иван Грозный — рукой железной и окровавленной собирал русские земли, и присоединял к ним нерусские, и начал великую экспансию. В результате которой карта России и приобрела тот вид, о котором мы говорили в начале главы.

Почему Московия, а не Литва?

Почему же, все-таки, именно Москва собрала под себя и вкруг себя все русские земли? Не богатая Тверь, не воинственная Рязань, не древний и славный Владимир? А главное — почему не Литва? Где было больше русских, больше земель и богатства, больше воинов.

А потому, что демократия не всегда сильнее авторитаризма. А потому, что в экстремальных ситуациях жесткое единоначалие гораздо эффективнее плюрализма мнений. А потому, что властный и жестокий лидер превращает свою державу в машину, действующую по его воле! А там, где равные в силе и знатности соправители считаются с мнением друг друга и вырабатывают компромиссы — единства в ударе, концентрации всех сил в достижении одной поставлено цели достичь трудно. Или просто невозможно.

Воинская часть сильнее толпы. Банда сильнее сборища интеллигентов. Не числом, а организацией жесткой системы. Стадо баранов, управляемое львом — всегда победит стадо львов, управляемое бараном; это Наполеон сказал, а он понимал. Так вот: коллективное руководство и необходимость компромиссов превращают любое правительство в стадо баранов, если речь идет о войне и судьбе страны.

В целях завоевания и объединения тоталитарный режим предпочтительнее любого другого. Вот в целях процветания уже объединенного государства — хорошо бы тоталитаризм уменьшить до минимально необходимого, чтоб все не распалось. Но не давать тоталитарной пирамиде влезть во все щели жизни посредством мелких чиновников — не то все окаменеет и рассыплется.

Время тоталитаризму — и время демократии, ибо всему свое время под солнцем. Но мы отвлеклись... да:

Великому князю Московскому никто не смел перечить! И исполнители головой отвечали за исполнение приказа. И под собой гнули тех, кому претворять этот приказ в жизнь! То есть. На Руси было достигнуто военное, суровое, беспощадное исполнение приказа Великого князя любой ценой. Привет от Чингиз-хана.

Орда — нажралась, насытилась, насосалась соков, обдрябла и отвалилась, сгнила и распалась. Но принципы и законы Орды жили! И князья московские, хорошо усвоив эти законы, принялись возрождать великую державу. Но из провинции теперь они хотели быть центром! Пришло их время рулить. Им это удастся.

Они возрождали собственную державу. Но их сознание и ментальность уже не принадлежали только им. Гены татарской политической культуры прочно впечатались в русское социальное наследство, в мировоззрение, в коллективное бессознательное — и влияли на образ действий.

Литва же, в унии с Польшей все шире принимая католичество — слабла. Католики и православные, а также сохранявшиеся язычники — раскалывали уровень державы религиозный. Вольности шановного паньства мешали договориться о чем бы то ни было. Шляхетская демократия, гражданские войны и династические претензии раздирали могучее государство. Литва и Польша вечно конфликтовали по разным поводам как между собой, так и внутри каждой.

С середины XV века звезда великого государства начинает закатываться. Через сто лет после Куликовской битвы правнук Дмитрия Донского Иван III начинает отхватывать от Литвы куски. Старинные русские княжества переходят под власть Москвы.

Жесткость, агрессивность, военная мощь, властолюбие — этого постепенно у Москвы становилось больше, чем у Литвы.

Политическая воля решила все в конечном итоге! А политическая воля — на простом языке означает:

хотеть так сильно, чтобы не останавливаться ни перед какими средствами ради достижения своей цели.

Дмитрий Донской заложил основы Русского Государства как авторитарной машины для захвата, подчинения, держания в руке. Держания всех. В руке государевой.

В единстве сила! — был такой лозунг. Государь стал на Руси гарантом порядка и побед. Я вам покажу «оппозицию», сволочи...

Живая и мертвая вода

Повесть наша окончена. Остался только один вопрос. Так духовное единение произошло на Куликовом поле? Или — нет? Но ведь в результате — да, русские стали единым народом? И ведь примесь татарской, мордовской или черкесской крови давно не имеет значения для национальной идентичности.

Все помнят один из бродячих сюжетов сказок мира. Герой оказался убит и расчленен злыми силами. И другой герой сначала долго ищет и собирает части мертвого тела. Затем отправляется по свету добывать склянки с живой и мертвой водой, преодолевая все опасности. Находит. И добрая волшебница (или он сам по ее рецепту) складывает все части мертвого героя воедино. И сбрызгивает мертвой водой. И они срастаются, тело становится целым. А после этого — брызгает живой водой. И герой оживает.

Этот миф уходит корнями в глубокую древность. «Значит, в нем что-то есть». Применительно к эволюции государства и социальной психологии — здесь просто раздолье для смыслообразования.

...Сначала ты должен сложить государство воедино, собрать его, срастить, спаять, сделать целым.

А потом — сделать живым, функционирующим, дышащим и осмысленным.

Часть первая — завоевание и объединение — это часть силовая. Военная. Агрессивная. Насильственная. Здесь Смерть машет своей косой, рассекая и зачищая линии, по которым происходит складывание единого тела.

А вот с частью второй — дело обстоит сложнее. Потому что жить в «тюрьме народов» ни один народ не захочет. Будет подспудный национализм, скрытые настроения против центра, тяга к свободе. Как результат — работать будут хуже, всегда готовы к шпионажу и предательству, на ответственные посты таких националов назначать нельзя. Короче — пятая колонна в твоем государстве.

А если в ином государстве — из двадцати колонн девятнадцать пятых? Конечно: гарнизоны повсюду, тайная полиция, система заложников, подкуп аристократии. Это делается. Но ведь это же партизанская война начнется. Сплошные лесные братья, басмачи, подрывы мостов и убийства чиновников. Нет — только на силу уповать в мирной жизни нельзя. То есть — в жизни, которая должна быть уже мирной.

Как любое государство добивается повиновения? Кнутом и пряником. Оно карает за неповиновение. Но и награждает за хорошее поведение. Рабами, землями, деньгами или хотя бы значком отличия из металла, чтоб носить его на одежде как знак признанных заслуг.

И что? И награжденный начинает государство любить. Потому что — он почувствовал себя значительным человеком. Он вложил в это государство свой труд и пролил свою кровь, здесь его молодость, его любовь, его дети и друзья. Его жизнь состоялась здесь, он страдал, но и счастлив был здесь, ибо был счастлив в свой срок каждый, кто жил. И ему ценен тот, в чьих глазах он значителен и кто его наградил, имея на то власть. Он может продолжать ругать это государство — но уже почувствовал с ним родство, оно ему свое, не чужое.

...Итак. СССР. Прибалты не переваривают русских. Русские презирают бурятов, казахов, чукчей. Кавказцы презирают русских мужчин и любят русских женщин. Узбеки презирают татар, и это взаимно. Все не любят евреев, а русские чуточку не любят никого, согласно присказке «у, собака нерусский» или прекрасному слову «нерусь». Нерусь — это типа поганый, неверный, унтерменш.

Но! Кроме КГБ, арестов и запретов. Школьников учат по учебникам — где сплошная дружба народов СССР. Депутаты всех наций должны быть представлены в Верховном Совете. Официально для водружения флага Победы на Рейхстаге выбрали русского и грузина: дружба народов. В центральных вузах специально выделены квоты для абитуриентов малых народов — процветание всех культур. Все, происходившее в Грузии, Узбекистане или Молдавии идет под одним названием: «История нашей родины». Одна на всех, мы за ценой не постоим. И есть орден «Дружбы народов». Хотя они исторически друг друга резали, грабили и продавали в рабство. Пока их не взяли за шкирку и не объединили. И сказали про дружбу.

То есть. Ну дважды два четыре. Граждане одного государства должны быть терпимы друг к другу. И более того — друг друга любить и уважать. И еще более — знать, что они проникнуты единым духом и по сути являются одним народом. Ибо единство народа — важнейший аспект целостности и прочности государства! Ну, что еще не ясно.

Объединив страны и народы в одно государство, им начинают внушать, что они всегда были едины духом и помыслом, и страшно чувствовали это свое духовное единство, даже если оно не сильно кровное.

А уж когда объединяют родственные княжества, где близкие и менее близкие племена уже перемешиваются друг с другом, и язык один, и религия, и обычаи, и общие былины и мифы — их с точки зрения высокой духовности объединять легче.

Но. Они от сотворения Руси и пятьсот лет с перерывами резали друг друга. Презирали, ненавидели, враждовали. Татар призывали — чтоб с ними вместе русских соседей резать. Гм. Вражда отнюдь не всегда бывает только межнациональной. Родственные народы режутся за милую душу!

Так. Первое. Стерпится — слюбится.

Второе — найти общие для всех моменты в прошлом и сказать, что вот было: общая слава.

Понимаете, ведь любое чувство нуждается в материальном проявлении, чтобы явить себя. Ты меня любишь? — докажи! Я тебе — шубу, ты мне — себя. Ты мне друг? — заступись в драке и одолжи сто тысяч!

Любая идеология нуждается в конкретных примерах, должна подкрепляться и обосновываться событиями настоящего и прошлого.

Главное в идеологии собранного, сколоченного государства — идея нашего единства, братства, общности. Идея дружбы народов. Недаром же в СССР вручалась эта награда: «Орден Дружбы народов».

А в чем эта дружба проявляется? Что азербайджанец улыбается армянину в кадре кинохроники на фоне узбекских хлопковых полей? Полезное внушение, но его недостаточно. И срочно пишутся мифы о пролетарском братстве, революционном братстве, военном братстве, и как все вместе проливали кровь и жертвовали жизнью за общее дело. На Гражданской войне. Что? Ну, на Великой Отечественной.

...И вот когда Иван III, а особенно Иван IV, а потом еще Алексей Михайлович огнем и мечом втягивали в Московию русские княжества, объединяя древние уделы в великое и жестокое государство — понадобился идеологический миф об единстве всего русского народа. Обоснование единого русского мира, так сказать. Который долго и упорно стремился к своему объединению. И вот наконец.

Пропагандистский посыл требует сакральной простоты. Все славяне — братские русские, исторически сложились в один осознавший себя народ, а Москва — историческая столица, наследница истоков. Хау! — я все сказал, закончил индейский вождь и пыхнул трубкой мира. И отныне называйте меня Большой Брат в Красном Вигваме на Холме.

Дружба народов — она должна явить и доказать себя мощным действием. А то и в одном-то городе родня врет и ворует... А главное действие какое — во все времена и у всех народов? Встать!! Смирно!! Главное — это отстоять свободу и независимость нашей Родины перед нашествием численно превосходящего агрессора.

Эта формула применялась, начиная от египетских, хеттских и вавилонских записей о войнах. Это идеологический архетип. Это один из объективных законов социальной психологии. На уровне крика «мама» или пожелания здравствовать.

Таким образом, находится в прошлом подходящее событие. Его описание корректируется летописцами, или историками, или политтехнологами так, чтобы соответствовать заданному тезису. Что-то замалчивается, что-то раздувается, какие-то художественные описания выдаются за документальные. Что-то элементарно сочиняется.

И тогда как пример героизма появляются созданные журналистом 28 панфиловцев, которых в описанном контексте не было, и героические слова политрука Клочкова: «Велика Россия, а отступать нам

О! Декабристы! Глоток свободы! Даешь конститу-
, долой самодержавие! О доля горькая: «Русские
о копируют французские нравы с опозданием на
десят лет». Это была попытка обрести свободу
ь неумелая, что нелепость ее переросла в без-
ственность: обмануть и дать перебить своих сол-
готовиться пролить моря крови... «Повесить этих
рых джентльменов», — махнул рукой всадник
омажем. Но — люди так мечтали о свободе, так
видели свое рабство — что героизировали вос-
щих, поэтизировали, романтизировали и идеали-
вали. Писали о них стихи, позднее ставили па-
ики и называли улицы и площади их именами.
частье. Эти переворотчики устроили бы им та-
козью морду — царь милее родного батюшки
ался бы. А так — светлая идея осталась незама-
ой грязным исполнением (оно всегда грязное...).
пушайте — Александр II — царь-Освободитель.
нил крепостное право. Готовил конституцию.
но собирался дать больше свободы — разумной
ды, не разрушающей государство, но способ-
щей работе на него, на общее благо, свобод-
люди трудятся на свободных (ну, относитель-
людей. Взорвали революционеры. Чтоб было
Тогда восстанут! И построят идеальное обще-
Ну-ну. Знаем — пробовали.
вот — небывалое в истории России. Февраль
т 1917. Пал царизм. Свобода, демократия, ра-
о — изберем лучших в Учредительное собра-
начнем строить светлую жизнь для себя. Хрен!
Октябрь уж наступил и отряхает! Прекрасно-
е болтливые импотенты были сметены жесто-
решительными хамами. И Россия мигом по-
а себе такое самодержавие — мама не горюй!
ьшевикам и товарищу Сталину никакой Ба-
в подметки не годился!

некуда — позади Москва!» Слова придумал тот же журналист Александр Кривицкий. То есть. Героизм был! Но описанных лживым пропагандистом событий — не было. Хотя все верили в них полвека.

Или 23 февраля 1918 года немецкая пехота обстреляла сводный красный отряд под Нарвой, отряд бежал быстро и очень далеко, командира Павла Дыбенко долго ловили за дезертирство. Тем не менее этот день стал праздноваться как День Красной (Советской, Российской) Армии, в который она родилась: типа наши победили...

Подобным примерам нет конца, и отнюдь не только в нашей истории.

...А когда в истории до-ивано-грозненской Руси грозила всем общая опасность со стороны внешнего врага, и объединенным мужеством эту опасность ликвидировали? Варяги? Они заложили государство. Батый? Делал что хотел. И, опять же, заложил следующий этаж нашего государства. Москву от Едигея отстояли? Так это только Москва и москвичи.

А вот Дмитрий Донской против Мамая — оно самое то! Из разных княжеств. Пришли и победили. В единстве сила. Литва испугалась выступить против нас. Что? Нет, Литва — это не русские, это неизвестно кто; а русских мы присоединим к себе, конечно.

То есть. В государствах, собранных силой. Возникает потребность в идеологии единства. И в истории подыскивается подходящее событие, должное отразить зарождение и образование этого единства. Момент общей славы и родства.

...И проходят века. И десятки поколений школьников читают это в учебниках. И живут с этим знанием всю жизнь. И оно становится расхожей истиной. И историки бездумно повторяют: там впервые русские люди из разных княжеств ощутили себя одним народом, там зародилось русское единство.

ЭПИЛОГ

В 1598 году умер последний из рюриковичей — царь Федор Иоаннович. Модель государства оставалась в сознании, разумеется, неизменной: на царство был выбран шурин Федора Борис Годунов. Он был добр и заботлив, он пытался внедрять европейские новшества. Иностранные специалисты ехали работать в Москву, русские юноши учились в Европе. Ан — не везло! Необыкновенно холодные лета не давали вызреть урожаю — разразился голод. Борис раскрыл народу государевы амбары — а все равно не любили его. Он мучился подозрениями в заговорах (небезосновательно) и умер странной смертью в 53 года.

Наступило 8 лет Смутного времени (1605–1613) — оно предоставило варианты. Царь Дмитрий Иванович возвратил из ссылок бояр, снижал и отменял налоги, ввел в Думу духовенство и назвал Сенатом. Взяточников били палками. Передвижения через границу и внутри страны стали свободными. Через год его убили и объявили Самозванцем. Не наш человек...

Боярская Дума могла стать реальным и полномочным парламентом. Царя могли ограничить законами о правах дворянства — то бишь боярства (это

произошло полутора веками позж
в цари польского королевича Вла
пропитан европейскими традици
гуманных законов и прав поддан
те: все предавали всех, каждый р
вые войны истерзали страну, и н
«на платформе», так сказать, само
ной монархии. Он был «мал возр
первый Романов, Михаил: бояре
вить сами, имея его за марионет
жил и умер — а самодержави
И все лизали царю Алексею М
рываясь на нижестоящих. То
и демократия не проканали ни
века, и без того склонного к абс

Великий Петр вознамерилс
к прогрессу посредством дикта
поняла бы и не подчинилась.
стоком усилии он надорвался
раздражало, что приближенны
и не умеют разговаривать с ни
ландцы или немцы: пусть тре
дут себя внешне по-европейск
воруют, как неродные! — ник
что Россия — это наше обще
же общее, мин херц, если ты
на дыбу вздернуть можешь?..

Екатерина Великая пере
ром — но освободить кресть
но обиженная «элита» мгнов
ператрицу, как ее мужа ранее
есть: царь стал выступать
знатных олигархов.

Но не любой. Внук умно
лай Павлович показал мня
кто в доме хозяин.

цию
вечн
пять
стол
нрав
дат,
храб
с пл
нена
став
зиро
мятн
Их с
кую
пока
ранн

С
Отме
Реаль
свобо
ствую
ные
но...)
хуже.
ство.

И
и мар
венств
ние и
Дрысь
душны
кими
строил
Да бо
тый и

Н-ну-с — подходите ближе, товарищи. Да-да — и дамы с господами. Перед нами — 1991 год. ГКЧП свергнуто с позором. Свободный народ победил. На лицах — человеческое достоинство, какого там отродясь никто не видел, и не увидит впредь. На лицах — счастье и ответственность свободных людей: это наша страна, мы в ней хозяева, мы будем строить жизнь по своему уму для себя и наших детей, и никогда больше никакая сволочь нам не указ, и нагло лгать нам не будет, и запрещать нам то, чего мы хотим, никто не будет, и решать за себя мы будем сами, никому не позволив сесть себе на шею.

Плакать от гордости хотелось, глядя на эти лица. Плакать от счастья, что мы — дожили. Победили. Свернули шею гадине, заевшей нашу жизнь.

А через год плакали уже от другого. От нищеты и непонимания. Как это случилось, что мы все в опе? Но — это ненадолго! Все будет хорошо! Уже скоро! Мы на верном пути!

На верном пути бандиты покорешились с ментами, воры с чиновниками, Парламент расстреляли, чтоб не путался под ногами, должность Президента укрепили всемерными полномочиями — и жестоко подтасовали и продавили выборы, чтоб этим Президентом стал тот, кто гарантирует максимальную свободу сильным мира сего.

А следующим Президентом назначили (именно — назначили промеж себя!) того, кто, по разумению олигархов, сам по себе фигура незначительная, заурядная, и будет оберегать интересы новых миллиардеров. А они реально будут править. А ему говорить, чего делать. А он будет типа ширмы, или наоборот — марионетки над ширмой.

Ничего не напоминает? Вам привет от малоумного Мишеньки Романова — и сына его Алексея Михайловича, и так далее.

И вот сегодня, когда я пишу эти строки, преодолевая видимый миру смех и невидимые миру слезы — на дворе у нас 2015 год. И президент Путин рулит уже 15 лет, и собирается делать это еще очень долго. Он бережет здоровье.

И правление у нас авторитарное, и важные решения принимаются наверху единолично, и слово Его решает любую международную сделку, любое судебное дело, любую идеологическую кампанию. И 86% народа (ну, официально) по любому поводу издают клич: Путину ура! Путин наш президент! Гарант! Есть Путин — есть Россия, нет Путина — нет России!

А несчастные либералы с демократами причитают: как же так? А где же сменяемость власти? А почему выборы фальсифицируются? А почему его друзья стали миллиардерами?

...Но дело не в этом. А в том дело, что когда бы России ни предоставлялся выбор народовластия и свободы — она через короткое время все равно устраивала себе диктатуру. Во все века. В форме царя, генсека или президента — не суть.

Дело, конечно, не в Путине. Его породили те, кто поставил его во власть, на высший пост. А это все знают: олигархи с Березовским, администрация с Волошиным и ельцинская семья с Дьяченко. А их породил — народ. Тот самый, самый талантливый, добрый, душевный и патриотичный, еще самоотверженный и много страдавший, и еще немножко безалаберный. Православный и коммунистический, умный и глупый, трудолюбивый и ленивый, честный и жуликоватый.

Тот народ, у кого в крови прогибаться перед начальством раньше, чем приказали. И глубже, чем собирались. А если ты горд и прям, и перед начальством не гнешься — так тебя начнут ломать, чтоб был как все.

(И вышвырните быстро за дверь Брехта с его воплем: «Еще способно плодоносить чрево, которое вынашивало гада!»)

Тот народ, что став чиновником — мгновенно выказывает поразительную черствость, подлость и равнодушие к согражданам и соплеменникам своим: которых он имеет за бесправных и ничтожных просителей, будучи сам облечен в государственное качество. Как бесправный проситель — он плачет от беспомощности и унижений, но он же — гадина и кровопийца как частица государства перед другим просителем. Да — бывает иначе. Но уж больно часто бывает так... Типично часто.

И вбито в социотип народа: власть — она всегда верх возьмет. Или вылижешь — или погибнешь. Начальству — кланяйся, угождай, льсти, подноси. Но чтоб подчиненные твои место свое знали! А иначе — сожрут тебя подчиненные, и ни хрена уважать не будут. Такая их порода.

Диктатура — это мы. Ложь, цензура, казнокрадство — это мы. Подлость и угодливость — это мы. О нет — по отдельности мы все почти чудесные, достойные люди. А вместе — двуличная толпа: холоп к верхним — и барин к нижним. И Путин сегодня — лишь самая вершинка пирамиды, в которую складывается толпа. Состоящая из нас.

И не сметь тягаться с Великим Князем и властью государевой!

А когда ненавидеть страшно и опасно — тогда любят.

Мы любим власть! Аж обмираем. До оргазма. Все заедино.

И тем самым — любим друг друга, любим себя как единый народ, и нет для нас единства слаще, чем единство под властью сильной и славной, грозной для врагов, милостивой для своих.

От Бога эта власть.

И еще раз, и еще.

Едины мы все, могучие и убогие, падшие и вознесенные, возлюбленные и отвергнутые, и в единстве этом наша сила и наша правда, а только правда и сила рождают власть и есть они самая власть, а власть эта от Бога, и в подчинении нашем власти мы являем свое единство, то доля и слава наша, и нет чести и отрады большей!

...Вот что было заложено в русских освящением даты 8 сентября 1380 года от Рождества Христова на поле Куликовом, где произошло Мамаево побоище.

Или не произошло. Не суть.

ПРИЛОЖЕНИЕ

все документы даны в переводе
на современный русский язык

Сказание о Мамаевом побоище

«... Пришли же послы к царю Мамаю от Ольгерда Литовского и от Олега Рязанского и принесли ему большие дары и грамоты. Царь же принял дары и письма благосклонно и, заслушав грамоты и послов почтя, отпустил и написал ответ такой: «Ольгерду Литовскому и Олегу Рязанскому. За дары ваши и за восхваление ваше, ко мне обращенное, каких захотите от меня владений русских, теми одарю вас. А вы в верности мне присягните и скорее идите ко мне и одолейте своего недруга. Мне ведь ваша помощь не очень нужна: если бы я теперь пожелал, то своею силою великою я бы и древний Иерусалим покорил, как прежде халдеи. Теперь же поддержать вас хочу моим именем царским и силою, а вашею клятвой и властью вашей разбит будет князь Дмитрий Московский, и грозным станет имя ваше в странах ваших моею угрозой. Ведь если мне, царю, предстоит победить царя, подобного себе, то мне подобает и надлежит царскую честь получить. Вы же теперь идите от меня и передайте князьям своим слова мои».

Послы же, возратясь от царя к своим князьям, сказали им: «Царь Мамай приветствует вас и очень, за восхваление ваше великое, благорасположен к вам!» Те же, скудные умом, порадовались суетному привету безбожного царя, не ведая того, что бог дает власть кому пожелает. Теперь же — одной веры, одного крещения, а с безбожным соединились вместе преследовать православную веру Христову. О таких ведь пророк сказал: «Воистину сами себя отсекли от доброго масличного древа и привились к дикой маслине».

Князь же Олег Рязанский стал торопиться отправлять к Мамаю послов, говоря: «Выступай, царь, скорее на Русь!» Ибо говорит великая мудрость: «Путь нечестивых погибнет, ибо собирают на себя досаду и поношение». Ныне же этого Олега окаянного новым Святополком назову.

И прослышал князь великий Дмитрий Иванович, что надвигается на него безбожный царь Мамай со многими ордами и со всеми силами, неустанно ярясь на христиан и на Христову веру и завидуя безголовому Батыю, и сильно опечалился князь великий Дмитрий Иванович из-за нашествия безбожных. И, став пред святою иконою господня образа, что в изголовье его стояла, и, упав на колени свои, стал молиться и сказал: «Господи! Я, грешный, смею ли молиться тебе, смиренный раб твой? Но к кому обращу печаль мою? Лишь на тебя надеясь, господи, и вознесу печаль мою. Ты же, господи, царь, владыка, светодатель, не сотвори нам, господи, того, что отцам нашим сотворил, наведя на них и на их города злого Батыя, ибо еще и сейчас, господи, тот страх и трепет великий в нас живет. И ныне, господи, царь, владыка, не до конца прогневайся на нас, знаю ведь, господи, что из-за меня грешного, хочешь всю землю нашу погубить; ибо я согрешил пред тобою больше всех людей. Сотвори мне, господи, за слезы мои, как Иезекии, и укроти, господи, сердце свирепому этому зверю!» Поклонился и сказал: «На господа уповал — и не погибну». И послал за братом своим, за князем Владимиром Андреевичем в Боровск, и за всеми князьями русскими скорых гонцов разослал, и за всеми воеводами на местах, и за детьми боярскими, и за всеми служилыми людьми. И повелел им скоро быть у себя в Москве.

Князь же Владимир Андреевич прибыл быстро в Москву, и все князья и воеводы. А князь великий Дмитрий Иванович, взяв брата своего князя Владимира Андреевича, пришел к преосвященному митрополиту

Киприану и сказал ему: «Знаешь ли, отче наш, предстоящее нам испытание великое, ведь безбожный царь Мамай движется на нас, неумолимую в себе ярость распаляя?» И митрополит отвечал великому князю: «Поведай мне, господин мой, чем ты пред ним провинился?» Князь же великий сказал: «Проверил я, отче, все точно, что все по заветам наших отцов, и даже еще больше, выплатил дани ему». Митрополит же сказал: «Видишь, господин мой, попущением божьим ради наших грехов идет он полонить землю нашу, но вам надлежит, князьям православным, тех нечестивых дарами удовлетворить хотя бы и вчетверо. Если же и после того не смирится, то господь его усмирит, потому что господь дерзким противится, а смиренным благодать подает. Так же случилось когда-то с Великим Василием в Кесарии: когда злой отступник Юлиан, идя на персов, захотел разорить город его Кесарию, Василий Великий помолился со всеми христианами господу богу, собрал много золота и послал к нему, чтобы утолить жадность преступника. Тот же, окаянный, только сильнее разъярился, и господь послал на него воина своего, Меркурия, уничтожить его. И невидимо пронзен был в сердце нечестивый, жизнь свою жестоко окончил. Ты же, господин мой, возьми золота, сколько есть у тебя, и пошли навстречу ему — и скорей образумишь его».

Князь же великий Дмитрий Иванович послал к нечестивому царю Мамаю избранного своего юношу, по имени Захарий Тютчев, испытанного разумом и смыслом, дав ему много золота и двух переводчиков, знающих татарский язык. Захарий же, дойдя до земли Рязанской и узнав, что Олег Рязанский и Ольгерд Литовский присоединились к поганому царю Мамаю, послал быстро вестника скрытно к великому князю.

Князь же великий Дмитрий Иванович, услышав ту весть, воскорбел сердцем, и исполнился ярости и печали, и начал молиться: «Господи, боже мой, на тебя надеюсь, правду любящего. Если мне враг вред наносит, то следует мне терпеть, ибо искони он является ненавистником и врагом роду христианскому; но вот друзья мои близкие замыслили против меня. Суди, господи, их и меня, я ведь им никакого зла не причинил, кроме того, что дары и почести от них принимал, но и им в ответ я также дарил. Суди же, господи, по правде моей, пусть покончится злоба грешных».

И, взяв брата своего, князя Владимира Андреевича, пошел во второй раз к преосвященному митрополиту и поведал ему, как Ольгерд Литовский и Олег Рязанский соединились с Мамаем на нас. Преосвященный же митрополит сказал: «А сам ты, господин, не нанес ли какой обиды им обоим?» Князь же великий прослезился и сказал: «Если я перед богом грешен или перед людьми, то перед ними ни единой черты не преступил по закону отцов своих. Ибо знаешь и сам, отче, что удовлетворен я своими пределами, и им никакой обиды не нанес, и не знаю, отчего преумножались против меня вредящие мне». Преосвященный же митрополит сказал: «Сын мой, господин князь великий, да осветятся веселием очи твои сердечные: закон божий почитаешь и творишь правду, так как праведен господь, и ты возлюбил правду. Ныне же окружили тебя, как псы многие; суетны и тщетны их попытки, ты же именем господним обороняйся от них. Господь справедлив и будет тебе истинным помощником. А от всевидящего ока Господня, где можно скрыться — и от твердой руки его?

И князь великий Дмитрий Иванович с братом своим, князем Владимиром Андреевичем, и со всеми русскими князьями и воеводами обдумали, как сторожевую заставу крепкую устроить в поле, и послали в заставу лучших своих и опытных воинов: Родиона Ржевского, Андрея Волосатого, Василия Тупика, Якова Ослябятева и других с ними закаленных воинов. И повелел им на Тихой Сосне сторожевую службу нести со всяким усердием, и ехать к Орде, и языка добыть, чтобы узнать истинные намерения царя.

А сам князь великий по всей Русской земле быстрых гонцов разослал со своими грамотами по всем городам: «Будьте же все готовы идти на мою службу, на битву с безбожными агарянами татарами; соединимся же в Коломне на Успение святой богородицы».

И так как сторожевые отряды задержались в степи, князь великий вторую заставу послал: Клементия Полянина, Ивана Святославича Свесланина, Григория Судакова и других с ними, — приказав им скорее возвращаться. Те же встретили Василия Тупика: ведет языка к великому князю, язык же из людей царского двора, из сановных мужей. И сообщает великому князю, что неотвратимо Мамай надвигается на Русь и что списались друг с другом и соединились с ним Олег Рязанский и Ольгерд Литовский. А не спешит царь оттого идти, что осени дожидается.

Услышав же от языка такое известие о нашествии безбожного царя, великий князь стал утешаться в боге и призвал к твердости брата своего князя Владимира и всех князей русских, говоря: «Братья князья русские, из рода мы все князя Владимира Святославича Киевского, которому открыл господь познать православную веру, как Евстафию Плакиде; просветил он всю землю Русскую святым крещением, извел нас от мучений язычества, и заповедовал нам ту же веру святую твердо держать и хранить и биться за нее. Если кто за нее пострадает, тот в будущей жизни ко святым первом ученикам за веру Христову причислен будет. Я же, братья, за веру Христову хочу пострадать даже и до смерти». Они же ему ответили все согласно, будто одними устами: «Воистину ты, государь, исполни закон божий и последовал евангельской заповеди, ибо сказал господь: “Если кто пострадает имени моего ради, то после воскресения сторицей получит жизнь вечную». И мы, государь, сегодня готовы умереть с тобою и головы свои положить за святую веру христианскую и за твою великую обиду”...»

О приходе Тохтамыша царя, и о пленении им, и о взятии Москвы

«... Когда князь великий услышал весть о том, что идет на него сам царь во множестве сил своих, то начал собирать воинов, и составлять полки свои, и выехал из города Москвы, чтобы пойти против татар. И тут начали совещаться князь Дмитрий и другие князья русские, и воеводы, и советники, и вельможи, и бояре старейшие, то так, то иначе прикидывая. И обнаружилось среди князей разногласие, и не захотели помогать друг другу, и не пожелал помогать брат брату, не вспомнили слов пророка Давида: «Как хорошо и достойно, если живут братья в согласии», — и другого, постоянно вспоминаемого, который говорил: «Друг, пособляющий другу, и брат, помогающий брату, подобны крепости твердой», — так как было среди них не единство, а недоверие. И то поняв, и уразумев, и рассмотрев, благоверный князь пришел в недоумение и в раздумье великое и побоялся встать против самого царя. И не пошел на бой против него, и не поднял руки на царя, но поехал в город свой Переяславль, и оттуда — мимо Ростова, и затем уже, скажу, поспешно к Костроме. А Киприан-митрополит приехал в Москву.

А в Москве было замешательство великое и сильное волнение. Были люди в смятении, подобно овцам, не имеющим пастуха, горожане пришли в волнение и неистовствовали, словно пьяные. Одни хотели остаться, затворившись в городе, а другие бежать помышляли. И вспыхнула между теми и другими распря великая: одни с пожитками в город устремлялись, а другие из города бежали, ограбленные. И созвали вече — позвонили во все колокола. И решил вечем народ мятежный, люди недобрые и крамольники: хотящих выйти из города не только не пускали, но и грабили, не устыдившись ни самого митрополита, ни бояр лучших не устыдившись, ни глубоких старцев. И всем угрожали, встав на всех вратах градских, сверху камнями швыряли, а внизу на земле с рогатинами, и с сулицами, и с обнаженным оружием стояли, не давая выйти тем из города, и, лишь насилу упрошенные, позже выпустили их, да и то ограбив.

Город же все также охвачен был смятением и мятежом, подобно морю, волнующемуся в бурю великую, и ниоткуда утешения не получал, но еще больших и сильнейших бед ожидал. И вот, когда все так происходило, приехал в город некий князь литовский, по имени Остей, внук Ольгерда. И тот ободрил людей, и мятеж в городе усмирил, и затворился с ними в осажденном граде со множеством народа, с теми горожанами, которые остались, и с беженцами, собравшимися кто из волостей, кто из других городов и земель. Оказались здесь в то время бояре, сурожане, суконщики и прочие купцы, архимандриты и игумены, протопопы, священники, дьяконы, чернецы и люди всех возрастов — мужчины, и женщины, и дети.

Князь же Олег обвел царя вокруг своей земли и указал ему все броды на реке Оке. Царь же перешел реку Оку и прежде всего взял город Серпухов и сжег его. И оттуда поспешно устремился к Москве, духа ратного наполнившись, волости и села сжигая и разоряя, а народ христианский посекая и убивая, а иных людей в плен беря. И пришел с войском к городу Москве. Силы же татарские пришли месяца августа в двадцать третий день, в понедельник. И, подойдя к городу в небольшом числе, начали, крича, выспрашивать, говоря: «Есть ли здесь князь Дмитрий?» Они же из города с заборол отвечали: «Нет». Тогда татары, отступив немного, поехали вокруг города, разглядывая и рассматривая подступы, и рвы, и ворота, и заборола, и стрельницы. И потом остановились, взирая на город.

А тем временем внутри города добрые люди молились богу день и ночь, предаваясь посту и молитве, ожидая смерти, готовились с покаянием, с причастием и слезами. Некие же дурные люди начали ходить по дворам, вынося из погребов меды хозяйские и сосуды серебряные и стеклянные, дорогие, и напивались допьяна и, шатаясь, бахвалились, говоря: «Не страшимся прихода поганых татар, в таком крепком граде находясь, стены его каменные и ворота железные. Не смогут ведь они долго стоять под городом нашим, двойным страхом одержимые: из города — воинов, а извне — соединившихся князей наших нападения убоятся». И потом влезали на городские стены, бродили пьяные, насмехаясь над татарами, видом бесстыдным оскорбляли их, и слова разные выкрикивали, исполненные поношения и хулы, обращаясь к ним, — думая, что это и есть вся сила татарская. Татары же, стоя напротив стены, обнаженными саблями махали, как бы рубили, делая знаки издалека.

И в тот же день к вечеру те полки от города отошли, а наутро сам царь подступил к городу со всеми силами и со всеми полками своими. Горожане же, со стен городских увидев силы великие, немало устрашились. И так татары подошли к городским стенам. Горожане же пустили в них по стреле, и они тоже стали стрелять, и летели стрелы их в город, словно дождь из бесчисленных туч, не давая взглянуть. И многие из стоявших на стене и на заборолах, уязвленные стрелами, падали, ведь одолевали татарские стрелы горожан, ибо были у них стрелки очень искусные. Одни из них стоя стреляли, а другие были обучены стрелять на бегу, иные с коня на полном скаку, и вправо, и влево, а также вперед и назад метко и без промаха стреляли. А некоторые из них, изготовив лестницы и приставляя их, влезали на стены. Горожане же воду в котлах кипятили, и лили кипяток на них, и тем сдерживали их. Отходили они и снова приступали. И так в течение трех дней бились между собой до изнеможения. Когда татары приступали к граду, вплотную подходя к стенам городским, тогда горожане, охраняющие город, сопротивлялись им, обороняясь: одни стреляли стрелами с заборол, другие камнями метали в них, иные же били по ним из тюфяков, а другие стреляли, натянув самострелы, и били из пороков. Были же такие, которые и из самих пушек стреляли. Среди горожан был некий москвич, суконник, по имени Адам, с ворот Фроловских приметивший и облюбовавший одного татарина, знатного и известного, который был сыном некоего князя ордынского; натянул он самострел и пустил неожиданно стрелу, которой и пронзил его сердце жестокое, и скорую смерть ему принес. Это было большим горем для всех татар, так что даже сам царь тужил о случившемся. Так все было, и простоял царь под городом три дня, а на четвертый день обманул князя Остея лживыми речами и лживыми словами о мире, и выманил его из города, и убил его перед городскими воротами, а ратям своим приказал окружить город со всех сторон.

Как же обманули Остея и всех горожан, находившихся в осаде? После того как простоял царь три дня, на четвертый, наутро, в полуденный час, по повелению царя приехали знатные татары, великие князья ордынские и вельможи его, с ними же и два князя суздальских, Василий и Семен, сыновья князя Дмитрия Суздальского. И, подойдя к городу и приблизившись с осторожностью к городским стенам, обратились они к народу, бывшему в городе: «Царь вам, своим людям, хочет оказать милость, потому что неповинны вы и не заслуживаете смерти, ибо не на вас он войной пришел, но на Дмитрия, враждуя, ополчился. Вы же достойны помилования. Ничего иного от вас царь не требует, только выйдите к нему навстречу с почестями и дарами, вместе со своим князем, так как хочет он увидеть город этот, и в него войти, и в нем побывать, а вам дарует мир и любовь свою, а вы ему ворота городские отворите». Также и князья Нижнего Новгорода говорили: «Верьте нам, мы ваши князья христианские, вам в том клянемся». Люди городские, поверив словам их согласились и тем дали себя обмануть, ибо ослепило их зло татарское и помрачило разум их коварство бесерменское; позабыли и не вспомнили сказавшего: «Не всякому духу веруйте». И отворили ворота городские, и вышли со своим князем и с дарами многими к царю, также и архимандриты, игумены и попы с крестами, и за ними бояре и лучшие мужи, и потом народ и черные люди.

И тотчас начали татары сечь их всех подряд. Первым из них: убит был князь Остей перед городом, а потом начали сечь попов, и игуменов, хотя и были они в ризах и с крестами, и черных людей. И можно было тут видеть святые иконы, поверженные и на земле лежащие, и кресты святые валялись поруганные, ногами попираемые, обобранные и ободранные. Потом татары, продолжая сечь людей, вступили в город, а иные по лестницам взобрались на стены, и никто не сопротивлялся им на заборолах, ибо не было защитников на стенах, и не было ни избавляющих, ни спасающих. И была внутри города сеча великая и вне его также. И до тех пор секли, пока руки и плечи их не ослабли и не обессилели они, сабли их уже не рубили — лезвия их притупились. Люди христианские, находившиеся тогда в городе, метались по улицам туда и сюда, бегая толпами, вопя, и крича, и в грудь себя бия. Негде спасения обрести, и негде от смерти избавиться, и негде от острия меча укрыться! Лишились всего и князь и воевода, и все войско их истребили, и оружия у них не осталось! Некоторые в церквах соборных каменных затворились, но и там не спаслись, так как безбожные проломили двери церковные и людей мечами иссекли. Везде крик и вопль был ужасный, так что кричащие не слышали друг друга из-за воплей множества народа. Татары же христиан, выволакивая из церквей, грабя и раздевая донага, убивали, а церкви соборные грабили, и алтарные святые места топтали, и кресты святые и чудотворные иконы обдирали, украшенные золотом и серебром, и жемчугом, и бисером, и драгоценными камнями; и пелены, золотом шитые и жемчугом саженные, срывали, и со святых икон оклад содрав, те святые иконы топтали, и сосуды церковные, служебные, священные, златокованые и серебряные, драгоценные позабирали, и ризы поповские многоценные расхитили. Книги же, в бесчисленном множестве снесенные со всего города и из сел и в соборных церквах до самых стропил наложенные, отправленные сюда сохранения ради — те все до единой погубили. То же говорить о казне великого князя, — то многосокровенное сокровище в момент исчезло и тщательно сохранявшееся богатство и богатотворное имение быстро расхищено было...»

Джованни Дель Плано Карпини

История Монголов, которых мы называем Татарами

«... ГЛАВА ЧЕТВЕРТАЯ

О нравах Татар, хороших и дурных, их пище и обычаях

§ I. О хороших нравах Татар

Вышеупомянутые люди, то есть Татары, более повинуются своим владыкам, чем какие бы то ни было люди, живущие в сем мире или духовные, или светские, более всех уважают их и нелегко лгут перед ними. Словопрения между ними бывают редко или никогда, драки же никогда, войн, ссор, ран, человекоубийства между ними не бывает никогда. Там не обретается также разбойников и воров важных предметов; отсюда их ставки и повозки, где они хранят свое сокровище, не замыкаются засовами или замками. Если теряется какой-нибудь скот, то всякий, кто найдет его, или просто отпускает его, или ведет к тем людям, которые для того приставлены; люди же, которым принадлежит этот скот, отыскивают его у вышеупомянутых лиц и без всякого труда получают его обратно. Один достаточно чтит другого, и все они достаточно дружны между собою; и хотя у них мало пищи, однако они вполне охотно делятся ею между собою. И они также довольно выносливы, поэтому, голодая один день или два и вовсе ничего не вкушая, они не выражают какого-нибудь нетерпения, но поют и играют, как будто хорошо поели. Во время верховой езды они сносят великую стужу, иногда также терпят и чрезмерный зной. И это люди не изнеженные. Взаимной зависти, кажется, у них нет; среди них нет почти никаких тяжебных ссор; никто не презирает другого, но помогает и поддерживает, насколько может, по средствам. Женщины их целомудренны, и о бесстыдстве их ничего среди них не слышно; однако некоторые из них в шутку произносят достаточно позорных и бесстыдных слов. Раздоры между ними возникают или редко, или никогда, и хотя они доходят до сильного опьянения, однако, несмотря на свое пьянство, никогда не вступают в словопрения или драки.

§ II. О дурных нравах их

Описав их хорошие нравы, следует изложить теперь о дурных. Они весьма горды по сравнению с другими людьми и всех презирают, мало того, считают их, так сказать, ни за что, будь ли то знатные или незнатные. Именно мы видели при дворе императора, как знатный муж Ярослав, великий князь Руссии, а также сын царя и царицы Грузинской, и много великих султанов, а также князь Солангов не получали среди них никакого должного почета, но приставленные к ним Татары, какого бы то низкого звания они ни были, шли впереди их и занимали всегда первое и главное место, а, наоборот, часто тем надлежало сидеть сзади зада их. По сравнению с другими людьми они очень вспыльчивы и раздражительного нрава. И также они гораздо более лживы, чем другие люди, и в них не обретается никакой почти правды; вначале, правда, они льстивы, а под конец жалят, как скорпион. Они коварны и обманщики и, если могут, обходят всех хитростью. Это грязные люди, когда они принимают пищу и питье и в других делах своих. Все зло, какое они хотят сделать другим людям, они удивительным образом скрывают, чтобы те не могли позаботиться о себе или найти средство против их хитростей. Пьянство у них считается почетным, и, когда кто много выпьет, там же извергает обратно, но из-за этого не оставляет выпить вторично. Они очень алчны и скупы, огромные мастера выпросить что-нибудь, а вместе с тем весьма крепко удерживают все свое, и очень скупые дарители. Убийство других людей считается у них ни за что. И, говоря кратко, все дурные нравы их по своей пространности не могут быть изображены в описании.

III. Об их пище

I. Их пищу составляет все, что можно разжевать, именно они едят собак, волков, лисиц и лошадей, а в случае нужды вкушают и человеческое мясо. Отсюда, когда они воевали против одного китайского города, где пребывал их император, и осаждали его так долго, что у самих Татар вышли все съестные припасы, то, так как у них не было вовсе что есть, они брали тогда для еды одного из десяти человек. Они едят также очищения, выходящие из кобыл вместе с жеребятами. Мало того, мы видели даже, как они ели вшей, именно они говорили: «Неужели я не должен есть их, если они едят мясо моего сына и пьют его кровь?» Мы видели также, как они ели мышей. Скатертей и салфеток у них нет. Хлеба у них нет, равно как зелени и овощей и ничего другого, кроме мяса; да и его они едят так мало, что другие народы с трудом могут жить на это.

II. Они очень грязнят себе руки жиром от мяса, а когда поедят, то вытирают их о свои сапоги или траву, или о что-нибудь подобное; более благородные имеют также обычно какие-то маленькие суконки, которыми напоследок вытирают руки, когда поедят мяса. Пищу разрезает один из них, а другой берет острием ножика кусочки и раздает каждому, одному больше, а другому меньше, сообразно с тем, больше или меньше они хотят кого почтить. Посуды они не моют, а если иногда и моют мясной похлебкой, то снова с мясом выливают в горшок. Также если они очищают горшки или ложки, или другие сосуды, для этого назначенные, то моют точно так же. У них считается великим грехом, если каким-нибудь образом дано будет погибнуть чему-нибудь из питья или пищи, отсюда они не позволяют бросать собакам кости, если из них прежде не высосать мозжечок. Платья свои они также не моют и не дают мыть, а особенно в то время, когда начинается гром, до тех пор, пока не прекратится это время.

III. Кобылье молоко, если оно у них есть, они пьют в огромном количестве, пьют также овечье, коровье и верблюжье молоко. Вина, пива и меду у них нет, если этого им не пришлют и не подарят другие народы. Зимою у них нет даже и кобыльего молока, если они небогаты. Они также варят просо с водою, размельчая его настолько, что могут не есть, а пить. И каждый из них пьет поутру чашу или две, и днем они больше ничего не едят, а вечером каждому дается немного мяса, и они пьют мясную похлебку. Летом же, имея тогда достаточно кобыльего молока, они редко едят мясо, если им случайно не подарят его, или они не поймают на охоте какого-нибудь зверя или птицу.

§ IV. Об их законах и обычаях

I. Далее, у них есть закон или обычай убивать мужчину или женщину, которых они застанут в явном прелюбодеянии; также если девица будет с кем-нибудь блудодействовать, они убивают мужчину и женщину. Если кто-нибудь будет застигнут на земле их владения в грабеже или явном воровстве, то его убивают без всякого сожаления. Точно так же, если кто-нибудь открывает их замысел, особенно когда они хотят идти на войну, то ему дается по заду сто ударов таких сильных, насколько может дать их крестьянин большой палкой.

Точно так же, когда кто-нибудь из младших оскорбляет кого-нибудь, то их старшие не щадят их, а подвергают тяжкому бичеванию. Точно так же между сыном от наложницы и от жены нет никакой разницы, но отец дает каждому из них, что хочет, и если он из рода князей, то сын наложницы является князем постольку же, как и сын законной супруги. И если один Татарин имеет много жен, то каждая из них сама по себе имеет свою ставку и свое семейство; и один день он пьет, ест и спит с одной, а другой день с другою, все-таки одна из них считается старшей среди других, и он бывает с ней чаще, чем с другими, и хотя их так много, они нелегко ссорятся между собою.

II. Мужчины ничего вовсе не делают, за исключением стрел, а также имеют отчасти попечение о стадах; но они охотятся и упражняются в стрельбе, ибо все они от мала до велика суть хорошие стрелки, и дети их, когда им два или три года от роду, сразу же начинают ездить верхом и управляют лошадьми и скачут на них, и им дается лук сообразно их возрасту, и они учатся пускать стрелы, ибо они очень ловки, а также смелы.

III. Девушки и женщины ездят верхом и ловко скачут на конях, как мужчины. Мы также видели, как они носили колчаны и луки. И как мужчины, так и женщины могут ездить верхом долго и упорно. Стремена у них очень короткие, лошадей они очень берегут, мало того, они усиленно охраняют все имущество. Жены их все делают: полушубки, платья, башмаки, сапоги и все изделия из кожи, также они правят повозками и чинят их, вьючат верблюдов и во всех своих делах очень проворны и скоры. Все женщины носят штаны, а некоторые и стреляют, как мужчины...»

Оглавление,

не то план книги, как она складывалась,
или перечень деталей и размышлений,
а может — краткая аннотация того,
что сначала подумалось,
а в результате написалось.

Русофобы из Сарая

Война рождает перспективу

Изгнание победителя

За что боролись

ПРИЛОЖЕНИЕ

Литературно-художественное издание

Веллер Михаил
Наш князь и хан
Историческая повесть-детектив

Компьютерная верстка: Р. Рыдалин
Технический редактор М. Курочкина

Подписано в печать 12.11.15. Формат 84x108 $^1/_{32}$.
Усл. печ. л. 15,12. Доп. тираж 5000 экз. Заказ № 8735

Общероссийский классификатор продукции
ОК-005-93, том 2; 953000 — книги, брошюры

Наши электронные адреса: WWW.AST.RU
E-mail: astpub@aha.ru
ВКонтакте: vk.com/ast_neoclassic

ООО «Издательство АСТ»
129085, г. Москва, Звездный бульвар, д. 21,
стр. 3, ком. 5

«Баспа Аста» деген ООО
129085 г. Мәскеу, жұлдызды гүлзар, д. 21, 3 құрылым, 5 бөлме
Біздің электрондық мекенжайымыз: www.ast.ru
E-mail: astpub@aha.ru

Қазақстан Республикасында дистрибьютор және өнім бойынша арыз-талаптарды қабылдаушының өкілі «РДЦ-Алматы» ЖШС, Алматы қ.,
Домбровский көш., 3«а», литер Б, офис 1.

Тел.: 8(727) 2 51 59 89,90,91,92, факс: 8 (727) 251 58 12 вн. 107;
E-mail: RDC-Almaty@eksmo.kz
Өнімнің жарамдылық мерзімі шектелмеген.

Өндірген мемлекет: Ресей
Сертификация қарастырылмаған

Отпечатано с готовых файлов заказчика
в АО «Первая Образцовая типография»,
филиал «УЛЬЯНОВСКИЙ ДОМ ПЕЧАТИ»
432980, г. Ульяновск, ул. Гончарова, 14